Travaux du Groupe de Recherches
et d' Etudes Sémitiques Anciennes, [G.R.E.S.A.],
Université des Sciences Humaines de Strasbourg

Vol. 4: Index Documentaire d'El-Amarna
– I.D.E.A., 2 –

Index Documentaire d'El-Amarna
d'El-Amarna
– I.D.E.A., 2 –

Bibliographie des textes babyloniens
d'El Amarna [1888 à 1993]
et Concordance des sigles EA

par Jean-Georges Heintz
avec la collaboration
de D. Bauer, D. Bodi et L. Millot
et une contribution
de C. B. F. Walker (British Museum)

1995

Harrassowitz Verlag
Wiesbaden

Travaux du Groupe de Recherches et d'Etudes Sémitiques Anciennes [G.R.E.S.A.] de l'Université des Sciences Humaines de Strasbourg:

Vol. 1: *Index documentaire des textes de MARI:* – TOME 1: *Liste / Codage des textes: Index des ouvrages de référence,* par: J.-G. HEINTZ, avec la collaboration de A. MARX et L. MILLOT, – Programmation CROZIER-FRANÇON –. In collection:«Archives Royales de Mari. – Transcriptions et Traductions», Vol. XVII/1, (Paris, 1975), 52*, 342 pp.– avec une «Préface d'A. PARROT» – > [Abrév.= **ARMT, XVII/1**].

Vol. 2: *Index documentaire d'EL-AMARNA:* Vol. 1: *Liste/Codage des textes; Index des ouvrages de référence,* par: J.-G. HEINTZ, avec la collaboration de D. BAUER, A. MARX et L. MILLOT, – Programmation J. FRANÇON –, (Wiesbaden, 1982), XXXIV, 419 pp. > [Abrév. = **IDEA. 1**].

Vol. 3: *Bibliographie de MARI: Archéologie et Textes [1933–1988],* par: J.-G. Heintz, avec la collaboration de D. BODI et L. MILLOT. – (Wiesbaden, 1990), X, 128 pp.

En préparation:

Vol. 5: *Le livre prophétique d' OSÉE:* Bibliographie thématique et référenciée [1900 à nos jours], par J.-G. HEINTZ, avec la collaboration de D. BODI et L. MILLOT, env. 160 pp.

Tous les travaux sont publiés par Otto Harrassowitz, Wiesbaden – à l'exception du Vol. 1, publié par «Librairie Orientaliste Paul Geuthner», Paris.

Die Deutsche Bibliothek – CIP-Einheitsaufnahme

Heintz, Jean-Georges:
Index documentaire d'el-Amarna : IDEA / par Jean-Georges
Heintz. Avec la collab. de D. Bauer ... [Le présent ouvrage a
été réalisé dans le cadre du G.R.E.S.A. (Groupe de Recherches
et d'Etudes Sémitiques Anciennes), rattaché à la Faculté de
Théologie Protestante de l' Université des Sciences Humaines de
Strasbourg]. - Wiesbaden : Harrassowitz.
NE: HST

2. Bibliographie des textes babyloniens d'el-Armarna (1888 à
   1993) und concordance des sigles EA / avec une contribution de
   C. B. F. Walker. - 1995
   (Travaux du Groupe de Recherches et d'Etudes Sémitiques Anciennes
   [GRESA], Université des Sciences Humaines de Strasbourg ; Vol. 4)
   ISBN 3-447-03248-0
NE: Université des Sciences Humaines <Strasbourg> / Groupe de
   Recherches et d'Etudes Sémitiques Anciennes: Travaux du Groupe ...

ISSN 0938-0051
ISBN 3-447-03248-0

TABLE DES MATIÈRES

AVERTISSEMENT

Suite à la parution de notre: **Index Documentaire d'El-Amarna, 1 : Liste/Codage des textes & Index des ouvrages de référence**, (Wiesbaden, 1982), xxxiv + 419 pp. [= **IDEA, 1**], voici le second volet de cette entreprise de recherche documentaire relative aux textes cunéiformes d'El-Amarna (médio-babylonien - XIV° siècle av. J.-C.), uniquement.

Ainsi que nous le rappelions dans l'ouvrage précédent [**IDEA, 1**, pp. ix-xviii], le champ d'investigation est ici bien plus étendu que dans le cas d'un site archéologique donné, puisque la richesse du corpus amarnien le fait participer à divers secteurs linguistiques et géographiques du Proche-Orient antique, représentés par les domaines d'étude suivants : Egyptologie - Assyriologie - Hittitologie - Etudes sémitiques & bibliques [cf. **IDEA, 1**, pp. x, xxxiv-xxv & pp. 412-419].

Face au vaste panorama offert par cette riche correspondance diplomatique entre l'Egypte et l'Asie antérieure, le chercheur ne sera donc guère en mesure d'aborder l'étude d'un de ces textes ou de ces thèmes en ayant l'assurance de maîtriser - même partiellement - l'information déjà disponible à leur sujet. Le but de ce projet **IDEA** est de fournir une base documentaire précise et référenciée; le principe d'exhaustivité de cette dernière ne saurait être que virtuel, mais on mesurera, à la comparaison avec les "Bibliographies" existantes [cf. HOSPERS J.H. (1973); WERNER E.K. (1976-1984); MARTIN (1991) - voir ad loc.] et a fortiori avec les "banques de données" actuellement consultables, quel progrès peut encore être réalisé en ce domaine.

En complément au volume **IDEA, 1**, nous présentons donc ici :

I. - la **Bibliographie d'El-Amarna**, depuis la découverte de ses archives (1887/88) jusqu'à nos jours (1993), subdivisée en trois sections chronologiques :
  - de la découverte (1887/88) à 1915, édition de KNUDTZON (= **VAB, 2**);
  - de 1916 à 1950 (cf. dissertation de MORAN, 1950);
  - enfin, de 1951 à nos jours (1993);

II. - la **Concordance des sigles EA**, tels qu'ils ont été utilisés depuis la découverte du corpus, ici ramenés au codage normatif actuellement en vigueur [= **EA, N° 1 - 380** - cp. **IDEA, 1**, pp. xix-xxiii]; cette entreprise s'avère en effet indispensable en vue de l'établissement ultérieur d'une véritable texto-bibliographie de ce corpus, notamment pour les années antérieures aux éditions de KNUDTZON [1915 = **EA 1-358**] et, dans une moindre mesure, de celle de RAINEY [1970, rééd. 1978 = **EA 359-379**].

De même que pour notre : **Bibliographie de Mari. Archéologie & Textes [1933-1988]**, (Wiesbaden, 1990), x + 128 pp., pour laquelle une série de "Suppléments" a déjà été publiée [cf. la revue : **Akkadica**, N° 77 (1992), pp. 1-37; N° 81 (1993), pp. 1-22; N° 86 (1994), pp. 1-23; - à suivre], nous envisageons la publication bisannuelle de tels "Suppléments" pour El-Amarna [à paraître sans doute dans: **Ugarit-Forschungen**], toujours dans cette perspective d'une bibliographie évolutive et d'une véritable maîtrise de l'information. Quant aux "principes de délimitation" de ce projet bibliographique, aussi précis que possible, ils sont les mêmes que ceux définis dans la : **Bibliographie de Mari** (1990), pp. ix-x (de même que pour les "Abréviations" utilisées ici).

En vue de permettre un travail de recherche documentaire plus précis et plus rapide, nous prions les auteurs concernés de bien vouloir nous faire parvenir tous compléments (& corrections) concernant ces corpus de MARI & d'EL-AMARNA. Ainsi pourra s'établir progressivement, par ces échanges entre chercheurs d'horizons divers autour de ces deux sites majeurs, une base documentaire solide et directement consultable, en même temps qu'un outil de recherche par nature perfectible.

De ce double domaine, capital pour l'étude du Proche-Orient antique, nous espérons ainsi pouvoir offrir une vision à la fois plus complète et plus précise, grâce à la contribution de chacun; une vision qui permette également de dépasser le point de vue des études spécialisées et des "vulgates" imposées, en vue d'un véritable dialogue entre les divers secteurs de recherches concernés. Ainsi, dans le cadre des études sémitiques anciennes comparées, le rapport à la Bible hébraïque (Ancien Testament) s'avère ici particulièrement important.

Jean-Georges Heintz

I° PARTIE

BIBLIOGRAPHIE DES TEXTES BABYLONIENS
D'EL-AMARNA [1888 á 1993]

par J. G. Heintz,
avec la collaboration de D. Bauer, D. Bodi et L. Millot

BIBLIOGRAPHIE D'EL-AMARNA [1888 - 1915]

ABEL L., "Stück einer Tafel aus dem Fund von El-Amarna",
in : **Zeitschrift für Assyriologie**, 7/1892, pp. 117-124.

(Anonyme), **The Tell el-Amarna Tablets in the British Museum, with Autotype Facsimiles**, (London, 1892), xciv + 154 pp. & 24 Pls.
[Ed. : The British Museum].

B[EZOLD] C., "Anmerkung der Redaction",
in : **Zeitschrift für Assyriologie**, 5/1890, p. 275 :
- [Cf. BRÜNNOW R.E. - JENSEN P. - SAYCE A.H., - ibidem -,
pp. 166-274].

BEZOLD C. - BUDGE E.A.W., **The Tell El-Amarna Tablets in the British Museum, with autotype Fascimiles**, (London, 1892),
xciv + 157 pp., et 24 Pls. - [= 82 N°].

BEZOLD C., **Oriental Diplomacy : being the transliterated text of the Cuneiform Dispatches between the Kings of Egypt and Western Asia in the XVth Century before Christ, discovered at Tell El-Amarna, and now preserved in the British Museum. - With full Vocabulary, Grammatical Notes, etc.**, (London, 1893), xliii + 124 pp. - [Ed. : Luzac & Co.] :

   C.R. : HARPER R.F., in : **Hebraica**, 10/1893-94, pp. 107-108.

BEZOLD C., "Sprechsaal : 'Milkili' ",
in : **Zeitschrift für Assyriologie**, 6/1891, p. 166.

BISSING F.W. VON, "Das Gefäss šuibda",
in : **Zeitschrift für Ägyptische Sprache und Altertumskunde**,
34/1896, p. 166.

BÖHL F.M.Th., **Die Sprache der Amarnabriefe, mit besonderer Berücksichtigung der Kanaanismen**, in coll. : "Leipziger Semitische Studien", Vol. 5/2, (Leipzig, 1909), iv + 96 pp.;
- [Reprod. photomécanique : (Leipzig, 1968) -
- Ed. : Zentralantiquariat der D.D.R.].

BÖHL Fr., **Kanaanäer und Hebräer. - Untersuchungen zur Vorgeschichte des Volkstums und der Religion Israels auf dem Boden Kanaans**, in coll. : "Beiträge zur Wissenschaft vom Alten Testament", Vol. 9, (Leipzig, 1911), VIII + 118 pp. :
- [Ed. : J.C. Hinrich'sche Buchhandlung] -
- [**EA** = pp. 2-3; 13-19; 22; 32; 40-42; 83-89; 93-94; 106].

BÖHL F.M.Th. [DE LIAGRE], "Hymnisches und Rhythmisches in den Amarnabriefen aus Kanaan".
in : **Theologisches Literaturblatt**, 25/1914, col. 337-340;

   = in : **Opera Minora. - Studies en Bijdragen op Assyriologisch en Oudtestamentisch Terrein**, (Groningen - Djakarta, 1953),
   (= Kap. XXII) : pp. 375-379, et pp. 516-517 (Notes).

BOEHMER J., **Aus den Tell-Amarna-Briefen. - Ein morgenländisches Zeitbild aus der Mitte des zweiten vorchristlichen Jahrtausends**, in coll. : "Der Beweis des Glaubens", (Gütersloh, 1900), 36 pp.

BOISSIER A., "Notes sur les lettres de Tell el-Amarna", in : **Zeitschrift für Assyriologie**, 7/1892, pp. 346-349.

BOISSIER A., "Lettre de Labâ au roi d'Egypte. - El Amarna N° 112 - (WINKLER - ABEL)", in : **Proceedings of the Society of Biblical Archaeology**, 18/1896, pp. 76-78.

BORCHARDT L. - SCHROEDER O., "Ausgrabungen in Tell el-Amarna 1913/14. - Vorläufiger Bericht", in : **Mitteilungen der Deutschen Orient-Gesellschaft**, 55/1914 (Dez.), pp. 3-39 (11 Figs. et Pls. 1-5) : - [SCHROEDER O., § 3.- "Die neuen Tontafeln" = pp. 34-36].

BORK F., **Die Mitannisprache**, in coll. : "Mitteilungen der Vorderasiatischen Gesellschaft", Vol. 14, Fasc. 1/2, (Berlin, 1909), 126 pp. - [= **EA 24**].

BOSCAWEN W.St.Ch., "Southern Palestine and the Tel-el-Amarna Tablets", in : **Babylonian and Oriental Record** (London), 5/1891, pp. 114-120.

BOSCAWEN W.St.Ch., "Some Letters to Amenophis III", in : **Babylonian and Oriental Record** (London), 5/1891, pp. 174-179.

BOSCAWEN W.St.Ch., "The Tel el-Amarna Tablets in the British Museum : Letters from the Kings of Alashiya and North Syria", in : **Babylonian and Oriental Record** (London), 6/1892, pp. 25-35 et 69-72.

BOSCAWEN W.St.Ch., "Tell el A<r>marna Tablets in the British Museum : Letters from Syria and Palestine", in : **Palestine Exploration Fund. - Quarterly Statement**, 1892, pp. 291-295.

BRÜNNOW R.E., "Die Mîtâni-Sprache", in : **Zeitschrift für Assyriologie**, 5/1890, pp. 209-259, - [avec une Note de : - B[EZOLD] C., "Anmerkung der Redaction", - p. 275].

BUDGE E.A.W., "On Cuneiform Despatches from Tûshratta, King of Mitanni, Burraburiyash the son of Kuri-Galzu, and the King of Alashiya, to Amenophis III, King of Egypt, and on the Cuneiform Tablets from Tell el-Amarna", in : **Proceedings of the Society of Biblical Archaelogy**, 10/1887-1888, pp. 540-569, - et 9 Autographies [face aux pp. 560, 562, 564 et 566].

BUGGE S. / Cf. KNUDTZON J.A. (1902).

BURCHARDT M., **Die altkanaanäischen Fremdworte und Eigennamen in Aegyptischen,**
- I. Teil : **Die kritische Analyse der Schreibung,**
(Leipzig, 1909), viii + 60 pp. [= 180 §§];
- II. Teil : **Listen der Syllabisch geschriebenen Worte...,**
(Leipzig, 1910), iv + 87 pp.

CLAUSS H., "Die Städte der El-Amarnabriefe und die Bibel",
in : **Zeitschrift des Deutschen Palästina-Vereins,** 30/1907,
pp. 1-79.

C[ONDER] C.R., "Notes, VII : The Tell Amarna Tablets",
in : **Palestine Exploration Fund. - Quarterly Statement,**
1889, pp. 28-30.

C[ONDER] C.R., "A Hittite Prince's Letter",
in : **Palestine Exploration Fund. - Quarterly Statement,**
1890, pp. 115-121.

CONDER C.R., "Monumental Notice of Hebrew Victories",
in : **Palestine Exploration Fund. - Quaterly Statement,**
1890, pp. 326-329.

CONDER [C.R.], "The Hittite Prince's Letter",
in : **Palestine Exploration Fund. - Quarterly Statement,**
1891, p. 186.

CONDER [C.R.], "Altaic Letter from Tell Amarna",
in : **Palestine Exploration Fund. - Quarterly Statement,**
1891, pp. 245-250.

CONDER [C.R.], "The Hebrews on the Tell Amarna Tablets",
in : **Palestine Exploration Fund. - Quarterly Statement,**
1891, p. 251.

CONDER [C.R.], "Notes ... : I. - Dusratta's Hittite Letter",
in : **Palestine Exploration Fund. - Quarterly Statement,**
1892, pp. 200-204 : - [I. = pp. 200-203].

CONDER C.R., **The Tell Amarna Tablets (Translated by ...),**
- 1° éd. : (London, 1893), xi + 212 pp.;
- 2° éd. compl. : (London, 1894), xvi + 258 pp. (ill.).
- [Ed. : The Committee of the Palestine Exploration Fund].

CONDER C.R., "Tadukhepa's Dowry",
in : **Palestine Exploration Fund. - Quarterly Statement,**
1893, pp. 321-322.

DELATTRE A.[J.], "La trouvaille de Tell-el-Amarna"
& "Les inscriptions de Tell-el-Amarna",
in : **Revue des Questions Scientifiques,** 1889 (Janv. & Juil.),
= (Tiré-à-part) : **La trouvaille de Tell el-Amarna,**
(Bruxelles, 1889), 43 + 24 pp. :

C.R. : LOISY A., in : **Revue Crit. d'Histoire & de Littér.,**
[47 (N.S. 28)/1889, pp. 361-362;
MASPERO G., in : **Revue Crit. d'Histoire & de Littér.,**
[47 (N.S. 28)/1889, pp. 382-383.

DELATTRE A.[J.], "Les inscriptions de Tell el-Amarna",
   in : **Revue des questions scientifiques**, 1889 (Janv.-Juil.),
   pp. 5-24 :

   C.R. : LOISY A., in : **Revue Crit. d'Histoire & de Littér.**,
         [(N.S.) 28/1889, pp. 361-362.

DELATTRE A.J., "Trois lettres de Tell El-Amarna",
   in : **Proceedings of the Society of Biblical Archaeology**,
   13/1890-91, pp. 127-132.

DELATTRE A.J., "Azirou",
   in : **Proceedings of the Society of Biblical Archaeology**,
   13/1890-91, pp. 215-234.

DELATTRE A.J., "Quelques lettres de Tell El-Amarna",
   in : **Proceedings of the Society of Biblical Archaeology**,
   13/1890-91, pp. 317-327.

DELATTRE A.J., "Lettres de Tell El-Amarna",
   in : **Proceedings of the Society of Biblical Archaeology**,
   13/1890-91, pp. 539-561; et in : 15/1892-1893, pp. 16-30;
   115-134; 345-373; 501-520.

DELATTRE A.J., "Les Juifs dans les inscriptions de Tell
   El-Amarna",
   in : **Journal Asiatique**, 29/1892-B, pp. 286-291.

DELATTRE A.J., "Mariages princiers en Egypte quinze siècles avant
   l'ère chrétienne d'après les lettres de Tell el-Amarna",
   in : **Revue des Questions Historiques**, 51/1892-A, pp. 222-235.

DELATTRE A.J., "La correspondance asiatique d'Aménophis III et
   d'Aménophis IV",
   in : **Revue des Questions Historiques**, 54/1893-B, pp. 353-388.

DELATTRE A.J., "A-mur-ri ou A-har-ri ?",
   in : **Proceedings of the Society of Biblical Archaeology**,
   18/1896, pp. 71-75.

DELATTRE A.J., "Le pays de Chanaan, province de l'ancien empire
   égyptien",
   in : **Revue des Questions Historiques**, 60/1896, pp. 5-94.

DELATTRE A.J., "Les pseudo-Hébreux dans les lettres de Tell el-
   Amarna",
   in : **Revue des questions scientifiques**, 75/1904,
   pp. 353-382.

DHORME E. [P.], "Les pays bibliques au temps d'El-Amarna
   - d'après la nouvelle publication des lettres",
   in : **Revue Biblique**, 5/1908, pp. 500-519,
   et - ibidem -, 6/1909, pp. 50-73 & pp. 368-385.

DHORME E. [P.], "La langue de Canaan",
   in : **Revue Biblique**, 22/1913, pp. 369-393,
   et 23/1914, pp. 37-59 et 344-372;

.../...

= in : **Recueil Edouard DHORME**. - **Etudes Bibliques et Orien-**
tales, [Abrév. : **R.E.D.**], (Paris 1951), pp. 405-487
(et p. 766).

EBELING E., **Das Verbum der El-Amarna-Briefe**, in coll. :
"Beiträge zur Assyriologie...", Vol. 8/2, (Leipzig, 1910),
pp. 39-79.

ERBT W., **Die Hebräer**, - **Kanaan im Zeitalter der hebräischen Wan-**
derung und hebräischer Staatengründungen, (Leipzig, 1906),
236 pp. - [Ed. : J.C. Hinrich'sche Buchhandlung] :
- [**EA** = I. Teil / Kap. VI : "Der Verlauf der hebräischen
Wanderung" - pp. 38-61 (= pp. 41-45)].

ERMAN A. - SCHRADER E., "Der Thontafelfund von Tell-Amarna",
in : **Sitzungsberichte der Königlich Preussischen Akademie**
der Wissenschaften zu Berlin, - **Philologische-historische**
Klasse, (Berlin, 1888), Fasc. XXIII (1888-A), pp. 583-589.

ERMAN A., "Nachtrag",
in : **Zeitschrift für Ägyptische Sprache und Altertumskunde**,
27/1889, pp. 62-64,
- [Cf. **apud** WINCKLER H., - Ibidem -, pp. 42-61].

E[RMAN] A., "Neues aus den Tafeln von el Amarna",
in : **Zeitschrift für Ägyptische Sprache und Altertumskunde**,
28/1890, p. 112.

ERMAN A., "Miscellen : Das Land Nuchasche",
in : **Zeitschrift für Ägyptische Sprache und Altertumskunde**,
29/1891, pp. 127-128.

ERMAN A., "Miscellen : Das Gefäss kuiḫku",
in : **Zeitschrift für Ägyptische Sprache und Altertumskunde**,
34/1896, pp. 165-166.

EVETTS B.J.A., Tâtum-ḫipa und Gilu-ḫipa",
in : **Zeitschrift für Ägyptische Sprache und Altertumskunde**,
28/1890, p. 113.

GATSCHET A.S., "Historic Documents from the Fourtheenth Century
B.C.",
in : **American Anthropologist**, 10/1897, pp. 121-123.

GUSTAVS A., "Hethitische Parallelen zum Namen 'ūriyâh",
in : **Zeitschrift für Alttestamentliche Wissenschaft**,
33/1913, pp. 2O1-205.

HALEVY M.J., "La correspondance d'Aménophis III et d'Aménophis IV,
transcrite et traduite",
in : **Journal Asiatique**, 8° Série, 16/1890, pp. 298-354
& pp. 402-462;
- ibidem -, 8° Série, 17/1891, pp. 87-133; 202-273; 496-531;
- ibidem -, 8° Série, 18/1891, pp. 134-185 & 510-536;
- ibidem -, 8° Série, 19/1892, pp. 270-333 & 499-555;
- ibidem -, 8° Série, 20/1892, pp. 233-278.

HALEVY J., "La correspondance d'Aménophis III et d'Aménophis IV, transcrite et traduite",
in : **Revue Sémitique**, 1/1893, (Fasc. 1), pp. 47-54.
- ibidem -, 1/1893, (Fasc. 2), pp. 118-125;
- ibidem -, 1/1893, (Fasc. 3), pp. 203-217;
- ibidem -, 1/1893, (Fasc. 4), pp. 303-318;
- ibidem -, 2/1894, (Fasc. 1), pp. 13-24;
- ibidem -, 2/1894, (Fasc. 2), pp. 110-119;
- ibidem -, 2/1894, (Fasc. 3), pp. 224-234.

HALEVY J., "Le profil historique des tablettes d'El-Amarna",
in : **Revue Sémitique**, 5/1897, pp. 36-46; 132-147; 255-262
& 343-359.

HOLLINGWORTH E.W., "The Date of the Tel Amarna Tablets",
in : **Proceedings of the Society of Biblical Archaeology**,
40/1918, pp. 100-103.

HOLMA H., "Zum ersten Taʿannek-Brief",
in : **Zeitschrift für Assyriologie**, 28/1913, pp. 102-103.

HROZNÝ F., "Keilschrifttexte aus Taʿannek - [Anhang]",
apud : SELLIN E., **Tell Taʿannek. - Bericht über eine ...
Ausgrabung in Palästina**, in coll. : "Denkschriften der Kai-
serlichen Akademie der Wissenschaften. - Philos.-Histor. Kl.,
Vol. 50, [IV. Abhandlung], (Wien, 1904), 122 pp. (avec 14
Planches, 132 Figs., et 6 Plans] :
- [= **T'NK**, N° 3 - 4 - 4/A = pp. 113-122, et Planche X].

HROZNÝ F., "Die neuen Keilschrifttexte aus Taʿannek",
apud : SELLIN E., **Eine Nachlese auf dem Tell Taʿannek in
Palästina**, in coll. : "Denkschriften der Kaiserlichen Aka-
demie der Wissenschaften. - Philos.-Histor. Kl., Vol. 52,
[III. Abhandlung], (Wien, 1906), 41 pp. (V Planches) :
- [= **T'NK**, N° 5 - 12 (& 8/A - Fragm.) = pp. 36-41,
& Planches I-II & III ("Autographien")].

JASTROW M., "The Letters of Abdiḫeba",
in : **Hebraica**, 9/1892-93, pp. 24-46.

JENSEN P., "Aus dem Briefe in der Mitanni-Sprache",
in : **Zeitschrift für Ägyptische Sprache und Altertumskunde**,
28/1890, p. 114 : - [= **EA 24**].

JENSEN P., "Vorstudien zur Entzifferung des Mitanni [I-II]",
in : **Zeitschrift für Assyriologie**, 5/1890, pp. 166-208,
- [avec une Note de : B[EZOLD] C., "Anmerkung der Redaction"
- p. 275]; & - ibidem -, 6/1891, pp. 34-72 : - [= **EA 24**].

JENSEN P., "Zur Erklärung des Mitanni",
in : **Zeitschrift für Assyriologie**, 14/1899, pp. 173-181.

KLOSTERMANN A., **Ein diplomatischer Briefwechsel aus dem zweiten
Jahrtausend vor Christo**, - [Rede beim Antritt des Rektorats
der Universität Kiel, 5. März 1898], (Kiel, 1898), 21 pp.

KNUDTZON J.A., "Der Cheta-Fürst S-p- rw-rw in Keilschrift",
in : **Zeitschrift für Ägyptische Sprache und Altertumskunde**,
35/1897, pp. 141-142.

KNUDTZON J.A., "Miscellen : Tilgung des Amon in Keilschrift",
   in : **Zeitschrift für Ägyptische Sprache und Altertumskunde**,
   35/1897, pp. 107-108.

KNUDTZON J.A., **Die zwei Arzawa-Briefe. - Die ältesten Urkunden
in indogermanischer Sprache**, - [= **EA 31-32**] -,
- [Mit Bemerkungen von BUGGE S. und TORP A.],
(Leipzig, 1902), 140 pp. :

   C.R. : MESSERSCHMIDT L., in : **O.L.Z.**, 6/1903, col. 80-86.

KNUDTZON J.A., "Ergebnisse einer Kollation der El-Amarna-Tafeln",
   in : **Beiträge zur Assyriologie und Semitischen Sprachwissenschaft**, Tome 4, (Leipzig, 1902), pp. 101-154.

KNUDTZON J.A., "Weitere Studien zu den El-Amarna-Tafeln",
   in : **Beiträge zur Assyriologie und Semitischen Sprachwissenschaft**, Tome 4, (Leipzig, 1902), pp. 279-337.

KNUDTZON J.A., "Nachträge und Berichtigungen zu : Weitere Studien
zu den El-Amarna-Tafeln",
in :**Beiträge zur Assyriologie und Semitischen Sprachwissenschaft**, Tome 4, (Leipzig, 1902), pp. 410-417.

KNUDTZON J.A., **Die El-Amarna-Tafeln, mit Einleitung und Erläu-
terungen**, - [Anmerkungen und Register von WEBER O. und
EBELING E.], in coll. : "Vorderasiatische Bibliothek",
Vol. 2, (Leipzig, 1907 & 1915) :
- Tome 1 : viii + 1007 pp. ;
- Tome 2 : vii + pp. 1009 à 1614 :
- [Rééd. anast. : (Aalen, 1964) - Ed. : O. Zeller] -

   C.R. : DELITZSCH F., in : **Memnon**, 3/1909, pp. 163-165;
      JENSEN P., in : **Th.L.Z.**, 34/1909, col. 531-532;
      MEISSNER B., in : **D.L.Z.**, 35/1916, col. 1514-1517;
      UNGNAD A., in : **O.L.Z.**, 19/1916, col. 180-187.

KNUDTZON J.A., "Über qibima in Eingängen babylonisch-assyrischer
Briefe",
   in : **Orientalistische Literaturzeitung**, 16/1913, col. 298-303.

KNUDTZON J.A., "Zu den El-Amarna Tafeln [(= Nr. 1 - 7)]",
   in : **Orientalistische Literaturzeitung**, 17/1914, col. 483-494.

KÖNIG Ed., **Stilistik, Rhetorik, Poetik in Bezug auf die biblische
Litteratur komparativisch dargestellt von ....** (Leipzig,
1900), 421 pp. :
- [**EA** = Cf. "Stellenregister" - p. 415/B-C :
= pp. 52-57; 69; 71-72; 87; 98; 107; 163; 252].

KOOTZ L., **Commentatio de Rib-Addi Byblensis Epistolis quibusdam
selectis, quam sententiis controversis adiectis**, (Leipzig,
1895), 31 pp. : [= Diss. Philos., Univ. de Leipzig].

KRUG C., / Pseudonyme > [= NIEBUHR C., (1899); (1901); etc.].

KÜCHLER Fr., Art. : "Tell-el-Amarna",
  in : **Die Religion in Geschichte und Gegenwart**, 1° éd.,
  GUNKEL H. - SCHEEL O., Eds., Vol. V, (Tübingen, 1913),
  col. 1122-1125.

LEHMANN C.F., "Aus dem Funde von Tell el Amarna",
  in : **Zeitschrift für Assyriologie**, 3/1888, pp. 372-406 :
  - [Autographies = pp. 399-406].

LEHMANN C.F., "Nachträge und Berichtigungen zu dem Aufsatze :
  'Aus dem Funde von Tell el Amarna' (Bd. III, S. 372-406)",
  in : **Zeitschrift für Assyriologie**, 4/1889, pp. 82-86.

LIEBLEIN J., "Les lettres royales de Tell el-Amarna",
  in : **Sphinx**, 13/1910, pp. 37-44.

LOISY A., "Chronique : Les textes cunéiformes de Tell-el-Amarna",
  in : **L'Enseignement Biblique** (Paris), 1892, pp. 1-18.

LUCKENBILL D.D., "Some Hittite and Mitannian Personal Names",
  in : **American Journal of Semitic Languages and Literatures**,
  26/1909-1910, pp. 96-104.

MARMIER G., "Contributions à la géographie de la Palestine et des
  pays voisins (Suite) :
  - II. - La géographie des tablettes d'El-Amarna",
  in : **Revue des Etudes Juives**, 43/1901, pp. 161-182;
  et - ibidem -, 44/1902, pp. 29-44.

MASPERO G. / Cf. SCHEIL V. (1892) - [= p. 312].

MASPERO G., "Les archives diplomatiques d'El Amarna au XIV° siècle
  avant Jésus-Christ",
  in : MASPERO G., **Causeries d'Egypte**, (Paris, s.d. [1907]),
  pp. 1-7.

MASPERO G., "Une capitale oubliée de l'Egypte pharaonique",
  in : MASPERO G., **Causeries d'Egypte**, (Paris, s.d. [1907]).
  pp. 71-83.

MASPERO G., "La correspondance d'El-Amarna",
  in : **Journal des Savants**, 1898, pp. 280-295 :
  - [= C.R. de / cf. : - WINCKLER H. (1896) &
  - PETRIE W.M.F. (1898)].

MESSERSCHMIDT L., **Mitanni-Studien**, in coll. : "Mitteilungen der
  Vorderasiatisch-Ägyptischen Gesellschaft", Vol. 4, Fasc. 4,
  (Berlin, 1899), 134 pp. - [= **EA 24**].

MEYER E., "Glossen zu den Thontafelbriefen von Tell el Amarna",
  in : **Aegyptiaca. - Festschrift für Georg EBERS zum 1. März
  1897**, (Leipzig, 1897), pp. 62-76.

MIKETTA K., **Die Amarnazeit : Palästina und Ägypten in der Zeit
  israelitischer Wanderung und Siedelung**, in coll. : "Biblische Zeitfragen", Erste Folge, Heft 10, (Münster-in-Westf.,
  1908; [3° éd. - 1910]), 48 pp. - [= pp. 419-464].
  - [Ed. : Aschendorff] -

MÜLLER D.H., "Eine missverstandene Wendung in den Amarna-Briefen",
in : **Semitica. - Sprach- und rechtsvergleichende Studien**
(I. Heft), in coll. : "Sitzungsberichte der kaiserlichen
Akademie der Wissenschaft, - Philos.-histor. Klasse", 153.
Band, (Wien, 1906), 3. Abh., 48 pp. : [= pp. 3-7].

MÜLLER D.H., "Die Bedeutung und die Etymologie des Verbums k̲âlu
in den Amarna-Briefen",
in : **Semitica. - Sprach- und rechtsvergleichende Studien**
(I. Heft), in coll. : "Sitzungsberichte der kaiserlichen
Akademie der Wissenschaft, - Philos.-histor. Klasse", 153.
Band, (Wien, 1906), 3. Abh., 48 pp. : [= pp. 7-13].

MÜLLER D.H., "Die Numeralia multiplicativa in den Amarna-Tafeln
und im Hebräischen",
in : **Semitica. - Sprach- und rechtsvergleichende Studien**
(I. Heft), in coll. : "Sitzungsberichte der kaiserlichen
Akademie der Wissenschaft, - Philos.-histor. Klasse", 153.
Band, (Wien, 1906), 3. Abh., 48 pp. : [= pp. 34-40].

MÜLLER W.M., "Zu den Keilschriftbriefen aus Jerusalem",
in : **Zeitschrift für Assyriologie**, 7/1892, pp. 64-65.

MÜLLER W.M., "Das Land Alašia",
in : **Zeitschrift für Assyriologie**, 10/1895, pp. 257-264.

MÜLLER W.M., "Der Chetiterkönig der Amarnatafeln. - (Bemerkungen
zu **O.L.Z.**, 1898, 88)",
in :**Orientalistische Literaturzeitung**, 1/1898, col. 153-155.

MÜLLER W.M., "Das Ṣumur Rib-Addi's in einem ägyptischen Text",
in : **Orientalistische Literaturzeitung**, 1/1898, col. 381-384.

MÜLLER W.M., "Zur Lachischtafel",
in : **Orientalistische Literaturzeitung**, 2/1899, col. 73-75.

MÜLLER W.M., "Zu den ägyptischen Wörtern von Amarna 294",
in : **Orientalistische Literaturzeitung**, 2/1899, col. 104-107.

MÜLLER W.M., "Ein altkanaanäischer Stadtname",
in : **Orientalistische Literaturzeitung**, 2/1899, col. 137-139.

NAVILLE E., "La découverte de la loi sous le roi Josias : une
interprétation égyptienne d'un texte biblique",
in : **Mémoires [de l'] Académie des Inscriptions et Belles -
Lettres**, 38/1911, (Fasc. 2), pp. 137-170.

NIEBUHR C. - [pseud.: KRUG C.], "Chanirabbat und Mitani" (§ 5),
in : **Studien und Bemerkungen zur Geschichte des alten
Orients**, (Leipzig, 1894), 102 pp. - [Ed. : Ed. Pfeiffer] :
- [- § 5 : pp. 88-96 : - **EA** = pp. 88-91, 93-96].

NIEBUHR C. - [pseud.: KRUG C.], "Zur Lage von Alaschja" (§ 6),
in : **Studien und Bemerkungen zur Geschichte des alten
Orients**, (Leipzig, 1894), 102 pp. :
- [= § 6 : pp. 97-102 : - **EA** = pp. 98-100].

NIEBUHR C. - [pseud.: KRUG C.], "Wissenschaftliche Fragen und
    Antworten. - VI.- [Über Šalmajati in dem Amarnabrief L.31
    (WINCKLER, 152)]",
    in : **Orientalistische Literaturzeitung**, 1/1898, col. 363-364.

NIEBUHR C. - [pseud.: KRUG C.], **Die Amarna-Zeit : Ägypten und
    Vorderasien um 1400 v. Chr. nach dem Thontafelfunde von El
    -Amarna**, in coll. : "Der Alte Orient", 1. Jahrg., Heft 2.,
    (Leipzig, 1900), pp. 37-68; - (rééd.: 1903).
    - [Ed. : J.C. Hinrichs].

NIEBUHR C. - [pseud.: KRUG C.], **The Tell el Amarna Period :
    The Relations of Egypt and Western Asia in the Fifteenth
    Century B.C. According to the Tell el Amarna Tablets**, in
    coll. : "The Ancient East", Fasc. 2, (London, 1901), 62 pp.

OFFORD J., "Notes and Queries : 1.- A New el-Amarna Tablet",
    in : **Palestine Exploration Fund. - Quarterly Statement**,
    36/1904, p. 180.

OPPERT J., "Les tablettes de Tell-Amarn" <sic !> / [= **EA 260**],
    in : **Comptes Rendus de l'Académie des Inscriptions et
    Belles Lettres**, 41/1888, (Paris, 1889), pp. 251-254.

[PEISER F.E.], "Aus einem Briefe von H. WINCKLER an W.M. MÜLLER",
    in : **Orientalistische Literaturzeitung**, 1/1898, col. 88-89.

PEISER F.E., "Eine Kollation der in Gizeh aufbewahrten Tell
    El-Amarna-Tafeln [= §§ 1-4]",
    in : **Orientalistische Literaturzeitung**, 1/1898,
    col. 135-138; 196-197; 274-276 et 304-305.

PEISER F.E., "Die Lachiš-Tafeln",
    in : **Orientalistische Literaturzeitung**, 2/1899, col. 4-7.

PEISER F.E., "Zu den Taʻannek-Tafeln",
    in : **Orientalistische Literaturzeitung**, 6/1903, col. 321-323.

PEISER F.E., "Zwei neue El-Amarna-Briefe",
    in : **Orientalistische Literaturzeitung**, 6/1903, col. 379-381.

PERRUCHON J., "Index des noms propres contenus dans les lettres
    trouvées à El-Amarna",
    in : **Revue Sémitique**, 2/1894, (Fasc. 4), pp. 308-323.

PERRUCHON J., "Index des idéogrammes et des mots contenus dans
    les lettres babyloniennes d'El-Amarna",
    in : **Revue Sémitique**, 3/1895, pp. 54-72; 147-164; 200-209
    et 306-333.

PETRIE W.M.F. [Ed.], **Tell el Amarna**, (London, 1894),
    iv + 46 pp., et 42 Planches :
    - [avec des contributions de : - GRIFFITH F.Ll.; - SAYCE
    A.H.; - SPURRELL F.C.J.] :

    C.R. : MASPERO G., in : **Journ. des Sav.**, 1898, pp. 280-295.

PETRIE W.M.F., **A History of Egypt during the XVIIth and XVIIIth
    Dynasties**, (London, 1896), xvi + 353 pp. (164 Figs.).

PETRIE W.M.F., **Syria and Egypt : from the Tell el Amarna Letters**,
  (New York, 1898), viii + 187 pp.; (2° éd. - 1907);
  - [Ed. : Scribner's]; / - [Rééd. photomécanique :
  (Chicago, 1978); - Ed. : Ares Publishers].

RANKE H., **Keilschriftliches Material zur altägyptischen Vokalisa-
  tion**, in coll. : "[Anhang zu den] Abhandlungen der
  Königlichen Preussischen Akademie der Wissenschaften zu
  Berlin", (Berlin, 1910), 96 pp.

REINACH S. / Cf. SAYCE A.H. (1889-B) - [= traductions].

SAYCE A.H., "Babylonian Tablets from Tel el-Amarna, Upper Egypt",
  in : **Proceedings of the Society of Biblical Archaeology**,
  10/1887-1888, pp. 488-525.

SAYCE A.H., "The Cuneiform Tablets of Tel el-Amarna, Now Preserved
  in the Boulaq Museum",
  in : **Proceedings of the Society of Biblical Archaeology**,
  11/1888-1889, pp. 326-413 :
  - [**EA** = 33 lettres, dont 4 de la collection ROSTOVICZ].

SAYCE A.H., "Tablets of Tel el-Amarna relating to Palestine in
  the Century before the Exodus" [= Chap. V.],
  in : **Records of the Past, Being English Translations of the
  Ancient Monuments of Egypt and Western Asia**, SAYCE A.H., Ed.,
  [Published under the Sanction of the Society of Biblical
  Archaeology], London, 1889), New Series, Vol. II/A, 208 pp.:
  - [**EA** = pp. 57-71 : - N° I-VI (Traductions) = pp. 62-71];
  = Tiré-à-part (17 pp.) - [Ed. : S. Bagster & Sons, Ltd.].

  C.R. : HARPER R.F., in : **Hebraica**, 6/1889-90, pp. 234-235.

SAYCE A.H., **The Annual Address : On the Cuneiform Inscriptions
  at Tel el-Amarna**, The Victoria Institute, (London, 1889).

SAYCE A.H., "Les tablettes cunéiformes de Tel el-Amarna",
  - [Traduit par REINACH S.],
  in : **Revue Archéologique**, (3° Série), 14/1889-B,
  pp. 342-362.

SAYCE A.H., "Letters to Egypt from Babylonia, Assyria, and Syria,
  in the Fifteenth Century B.C." [= Chap. IV],
  in : **Records of the Past, Being English Translations of the
  Ancient Monuments of Egypt and Western Asia**, SAYCE A.H., Ed.,
  [Published under the Sanction of the Society of Biblical
  Archaeology], (London, 1890), New Series, Vol. III/A,
  131 pp. : - [**EA** = pp. 55-90].

SAYCE A.H., ["Letter(s) from Egypt"],
  in : **The Academy**, N° 933 (March 15, 1890), p. 195;
  - N° 937 (April 19, 1890), p. 273;
  - N° 1034 (Febr. 27, 1892), pp. 212-213.

SAYCE A.H., "The Language of Mitanni", - [= **EA 24**] -
  in : **Zeitschrift für Assyriologie**, 5/1890, pp. 260-274,
  - [avec une note de B[EZOLD] C., "Anmerkung der Redaction"
  - p. 275].

SAYCE A.H., "Southern Palestine in the Fifteenth Century B.C.",
in : **The Academy**, N° 979 (Febr. 7, 1891), p. 138.

SAYCE A.H., "The Parentage of Queen Teie : Ancient Towns in Palestine",
in : **The Academy**, N° 981 (Febr. 21, 1891), p. 187.

SAYCE A.H., "The Mention of an Ionian Greek in the Tablets of
Tel el-Amarna",
in : **The Academy**, N° 1015 (Oct. 17, 1891), p. 341.

SAYCE A.H., "The Cuneiform Tablets" [= Chap. VI],
apud : PETRIE W.M.F. [Ed.], **Tell el Amarna**, (London, 1894),
iv + 46 pp., et 42 Planches :
- [**EA** : Chap. VI = pp. 34-37, et Pls. XXXI-XXXIII].

SAYCE A.H., "The Ionians in the Tel El-Amarna Tablets",
in : **Proceedings of the Society of Biblical Archaeology**,
24/1902, pp. 10-13.

SCHEIL V., "Une tablette de Tel-Amarna" [= **EA 209**],
in : **Recueil de Travaux**, 13/1890, pp. 73-74.

SCHEIL V., "(Amelûti) Sabê Ya-u-du",
in : **Journal Asiatique**, 17/1891, (8° Série), pp. 347-349.

SCHEIL V., "Tablettes d'El-Amarna de la Collection ROSTOVICZ",
in : **Mémoires [publiés par les Membres] de la Mission Archéologique Française au Caire**, Tome 6, (Paris, 1892),
pp. 297-309;
- [avec une "Note", par MASPERO G. = pp. 310-312].

SCHEIL V., "Une tablette palestinienne cunéiforme" [= **EA 333**],
in : **Recueil de Travaux**, 15/1893, pp. 137-138.

SCHEIL V., "Notes d'épigraphie et d'archéologie assyriennes",
in : **Recueil de Travaux**, 16/1894, pp. 32-37 :
- [**EA** = I.- Habiri (= pp. 32-33);
- II.- Yaudu (= p. 33)].

SCHEIL V., "Deux nouvelles lettres d'El Amarna",
in : **Bulletin de l'Institut Français d'Archéologie du Caire**,
2/1902, pp. 113-118, et 1 Planche :
- [(I.) : = **EA 15** (= pp. 113-115 & Pl. I/A),
- & (II.) : = **EA 153** (= pp. 116-117 & Pl. I/B)].

SCHRADER E. / Cf. ERMAN A. (1888) - [= pp. 585-589].

SCHROEDER O., "Die beiden neuen Tontafeln" [= § 3.],
apud BORCHARDT L., "Ausgrabungen in Tell el-Amarna 1913/14",
in : **Mitteilungen der Deutschen Orient-Gesellschaft**,
55/1914 (Dez.), pp. 3-39 (11 Figs. et 5 Planches) :
- [**EA** = pp. 39-45 (1 Fig.) et Planches 6-7].

SCHROEDER O., **Die Tontafeln von El-Amarna**, in coll. : "Vorder-
asiatische Schriftdenkmäler der königlichen Museen zu Berlin"
- [Abrév. : **V.S.** (ou : **V.A.S.**)],
Heft XI-XII, (Leipzig, 1914-15) - [Ed. : J.C. Hinrichs] :

- 1ère Partie : ii + 184 pp. ;
- 2ème Partie : iii + 95 pp. [= 202 N°];
- [Reprod. photomécanique (2 Tomes en 1 Vol.) :
(Osnabrück, 1973) - Ed. : O. Zeller, Aalen].

SCHROEDER O., "Zur kanaanäischen Glosse maḫzirâmu",
in : **Orientalistische Literaturzeitung**, 18/1915, col. 38-39.

SCHROEDER O., "Kanaanäisch malania = 'Quartier, Lager'",
in: **Orientalistische Literaturzeitung**, 18/1915, col. 1O5-106.

SCHROEDER O., "Zur Amarnatafel VAT 1704" - [= **EA 341**],
in: **Orientalistische Literaturzeitung**, 18/1915, col. 174-176.

SCHROEDER O., "Zum sog. 2. Arzawabrief (VAT 342)" - [= **EA 32**],
in: **Orientalistische Literaturzeitung**, 18/1915, col. 231-232.

SCHROEDER O., "belit und belat",
in : **Orientalistische Literaturzeitung**, 18/1915, col. 266.

SCHROEDER O., "Über den Namen des Tamūz von Byblos in der Amarna-
zeit",
in: **Orientalistische Literaturzeitung**, 18/1915, col. 291-293.

SCHROEDER O., "Zu Berliner Amarnatexten",
in: **Orientalistische Literaturzeitung**, 18/1915, col. 293-296.

SCHROEDER O., "KuA = pû - 'Mund' ",
in: **Orientalistische Literaturzeitung**, 18/1915, col. 325-326.

SCHROEDER O., "/ilu/A = /ilu/A-ma-na",
in: **Orientalistische Literaturzeitung**, 18/1915, col. 326-327.

SELLIN E., / Cf. HROZNÝ F. (1904 & 1906).

STEINDORFF G., **Die Keilschriftliche Wiedergabe Ägyptischer Eigennamen**, in coll. : "Beiträge zur Assyriologie...", Vol. 1/1-2,
(Leipzig, 1890), pp. 330-361 et 593-612 :
- [**EA** = § I. - "Die Umschreibungen auf den Thontafeln von
el-Amarna" [= pp. 333-339].

TIELE C.P., **Western Asia According to the Most Recent Discoveries**,
- Rectorial Address on the Occasion of the 318th Anniversary
of the Leiden University, 8th February 1893, - Transl. by
TAYLOR E.J. -, (London, s.d. [= 1894 ?]), 40 pp.
- [Ed. : Luzac].

TORP A. / Cf. KNUDTZON J.A. (1902).

TRAMPE E., **Syrien vor dem Eindringen der Israeliten. (Nach den
Thontafeln von Tell el-Amarna)**, in coll. : "Wissenschaft-
liche Beilage zum Jahresbericht des Lessing-Gymnasiums zu
Berlin", (Berlin, 1898; - rééd. 1901), 34 pp. :
- [Ed.: R. Gaertners] -

C.R. : NIEBUHR C., in : **O.L.Z.**, 1/1898, col. 183-185.

UNGNAD A., "Babylonisch-assyrische Texte" : I. Teil : "Religiöse
Texte" - Erste Hälfte : "Mythen und Epen",
apud GRESSMANN H. [Ed.], **Altorientalische Texte und Bilder
zum Alten Testamente**, - [Abrév. : **A.O.T.(B.)A.T.**] :
- Vol. I : **Texte**, (Tübingen, 1909), XIV + 253 pp. :
- [**EA 356** = § III : "Der Adapa-Mythus" = pp. 34-38].

UNGNAD A., "Babylonisch-assyrische Texte" : II. Teil : "Chrono-
logisch-historische Texte" / "Anhang I-III",
apud GRESSMANN H. [Ed.], **Altorientalische Texte und Bilder
zum Alten Testamente**, - [Abrév. : **A.O.T.(B.)A.T.**] :
- Vol. I : **Texte**, (Tübingen, 1909), XIV + 253 pp. :
- [**EA** = "Anhang" - pp. 127-134 :
- § I. - "Der Brief aus Tell el-Ḥasi" = pp. 127-128;
- § II. - "Die Briefe aus Tell Taʿannek" = pp. 128-129;
- § III. - "Aus den Amarna-Briefen" = pp. 129-134 (divers)].

VOGEL A., **Der Fund von Tell-Amarna und die Bibel**, in coll. :
"Veröffentlichungen des Bibelbundes", Nr. 4, (Braunschweig -
Leipzig, 1898), 51 pp. - [Ed. : H. Wollermann] :

C.R. : NIEBUHR in : **O.L.Z.**, 1/1898, col. 249-250.

WAINWRIGHT G.A., "Alashia = Alasa; and Asy",
in : **Klio**, 14/1915, pp. 1-36 [1 Carte & 5 Tableaux] :
- [**EA** = pp. 4; 9-13; 25-33].

WIEDEMANN A., "Tell el Amarna : Thontafelnfund",
in : **Jahrbücher des Vereins von Alterthumsfreunden im Rhein-
lande**, 85/1888, p. 177.

WINCKLER H., "Bericht über die Thontafeln von Tell-el-Amarna im
Königlichen Museum zu Berlin und im Museum von Bulaq",
in : **Sitzungsberichte der Königlich Preussischen Akademie
der Wissenschaften zu Berlin**, - **Philologische-historische
Klasse**, Fasc. 51/2, (Berlin, 1888), pp. 1341-1357,
et Planches IV-VI :
- [Cp. : **R.A.**, 2/1888, p. 74; et **Z.A.**, 4/1889, p. 96].

WINCKLER H. [- ABEL L.], **Der Thontafelfund von El Amarna, - nach
den Originalen autographirt von L. ABEL**, in coll. : "Mitteilungen aus den Orientalischen Sammlungen - Königliche
Museen zu Berlin", Heft 1-3, (Berlin, 1889/90), IV + 166 pp.
[dont certaines doubles] et 3 Planches = [240 N°];
- [Ed. W. Spemann].

WINCKLER H., "Verzeichniss der aus dem Funde von el-Amarna
herrührenden Thontafeln",
in : **Zeitschrift für Ägyptische Sprache und Altertumskunde**,
27/1889, pp. 42-61;
- [avec un : "Nachtrag", par ERMAN A. = pp. 62-64].

WINCKLER H., "Bemerkungen zu den el-Amarna-Briefen",
in : **Zeitschrift für Assyriologie**, 4/1889, pp. 404-405.

WINCKLER H., "Satarna, König von Naharina in den el-Amarna
-Briefen",
in : **Zeitschrift für Ägyptische Sprache und Altertumskunde**,
28/1890, pp. 114-115.

WINCKLER H., "Vorarbeiten zu einer Gesammtbearbeitung der
el-Amarna-Texte",
in : **Zeitschrift für Assyriologie**, 6/1891, pp. 141-148.

WINCKLER H., **Keilinschriftliches Textbuch zum Alten Testament**,
(Leipzig, [1892), 111 pp. - sans **EA** !];
- 2° éd. - 1903, IV + 129 pp. : [**EA** = pp. 1-13];
- 3° éd. - 1909, XX + 118 pp. : [**EA** = pp. 4-13].

WINCKLER H., **Die Thontafeln von Tell-El-Amarna**, in coll. :
"Keilinschriftliche Bibliothek", Vol. V, SCHRADER E., Ed.,
(Berlin, 1896), xxxvi + 415 + 50* pp. : [= 296 N°] :
- [Ed. : Reuther & Reichard] -

C.R. : MASPERO G., in : **Journ. des Sav.**, 1898, pp. 280-295;

- Ed. angl. : **The Tell-El-Amarna Letters**, (London - New York
- Berlin, 1896), XLII + 415 pp. + 50* pp. [= "Vocabulary &
List of Proper Names"]; = Transl. by METCALF J.M.P. -
- [Ed. : Lemcke & Buechner / Reuther & Reichard].

WINCKLER H., "Tel-Amarna 125",
in : **Mitteilungen der Vorderasiatischen Gesellschaft**,
2/1897, pp. 283-285.

WINCKLER H., "Die Hebräer in den Tel-Amarna-Briefen",
in : **Semitic Studies in Memory of Rev. Dr. Alexander KOHUT**,
KOHUT G.A., Ed., (Berlin, 1897), pp. 605-609;
- [Ed. : S. Calvary & Co.] -

= in : WINCKLER H., **Altorientalische Forschungen**, 3° Série,
Vol. I, Fasc. 1 [= XVI], (Leipzig, 1901), pp. 90-94.

WINCKLER H., **Die Völker Vorderasiens**, in coll. : "Der Alte Orient",
1. Jahrg., Heft 1., (Leipzig, 1900), pp. 1-36;
- (rééd.: 1903). - [Ed. : J.C. Hinrichs] -

WINCKLER H., "amelu",
in : **Altorientalische Forschungen**, 2° Série. Vol. II,
Fasc. 1 [= XI], (Leipzig, 1899), pp. 312-315.

WINCKLER H., "Zur Lakištafel",
in : **Orientalistische Literaturzeitung**, 2/1899. col. 54-55.

WINCKLER H., "Zwei Könige von Sidon aus der Tel-Amarna-Zeit",
in : **Altorientalische Forschungen**, 3° Série, Vol. I.
Fasc. 1 [= XVI], (Leipzig, 1901), pp. 177-178.

WINCKLER H., "Geschichte und Geographie : Tell-Amarna",
in : **Die Keilinschriften und das Alte Testament**, SCHRADER E.,
Ed., 3° éd. complét., (Berlin, 1903). x + 680 pp. (1 Carte) :
- [**EA** : Teil I / Kap. (10) / "Tell-Amarna" = pp. 192-203].

WINCKLER H., "Suri",
in : **Orientalistische Literaturzeitung**, 10/1907,
col. 281-299, 345-357 et 401-412.

ZIMMERN H., "Das Verhältnis des assyrischen Permansivs zum
   semitischen Perfect und zum ägyptischen 'Pseudoparticip',
   untersucht unter Benützung der El-Amarna-Texte",
   in : **Zeitschrift für Assyriologie**, 5/1890, pp. 1-22.

ZIMMERN H., "Briefe aus dem Funde in El-Amarna in Transcription
   und Uebersetzung",
   in : **Zeitschrift für Assyriologie**, 5/1890, pp. 137-165.

ZIMMERN H., "Sprechsaal : Kanaanäische Glossen",
   in : **Zeitschrift für Assyriologie**, 6/1891, pp. 154-158.

ZIMMERN H., "Die Keilschriftbriefe aus Jerusalem",
   in : **Zeitschrift für Assyriologie**, 6/1891, pp. 245-263.

ZIMMERN H., "Religion und Sprache. - Lexikalisches : Die kanaanäischen Glossen in den Tell-Amarna-Briefen",
   in : **Die Keilinschriften und das Alte Testament**, SCHRADER E.,
   Ed., 3° éd. complét., (Berlin, 1903), x + 680 pp. (1 Carte) :
   - [**EA** : Kap. II / § (B/b/3) = pp. 651-653 <sic !>].

BIBLIOGRAPHIE D'EL-AMARNA [1916 - 1950]:

ALBRIGHT W.F., "The Town of Selle (Zaru) in the ʿAmarnah Tablets",
  in : **The Journal of Egyptian Archaeology**, 10/1924, pp. 6-8.

ALBRIGHT W.F., "Canaanite hofši, 'free', in the Amarna Tablets",
  in : **Journal of the Palestine Oriental Society**, 4/1924,
  pp. 169-170.

ALBRIGHT W.F., "The New Cuneiform Vocabulary of Egyptian Words",
  in : **The Journal of Egyptian Archaeology**, 12/1926,
  pp. 186-190. - [= **EA 368**].

ALBRIGHT W.F., "Notes and Comments : Canaanite hapši and Hebrew
  hofsî Again",
  in : **Journal of the Palestine Oriental Society**, 6/1926,
  pp. 106-108 :
  - [cf. PEDERSEN J., - ibidem -, pp. 103-105].

ALBRIGHT W.F., "Miszellen : Aman-ḥatpe, Governor of Palestine",
  in : **Zeitschrift für Ägyptische Sprache**, 62/1926, pp. 63-64.

ALBRIGHT W.F., "Mitannian maryannu, 'chariot-warrior', and the
  Canaanite and Egyptian Equivalents",
  in : **Archiv für Orientforschung**, 6/1931, pp. 217-221.

ALBRIGHT W.F., "The Egyptian Correspondence of Abimilki,
  Prince of Tyre",
  in : **The Journal of Egyptian Archaeology**, 23/1937,
  pp. 190-203.

ALBRIGHT W.F., "A Teacher to a Man of Shechem about 1400 B.C.",
  in : **Bulletin of the American Schools of Oriental Research**,
  86/1942 (Apr.), pp. 28-31.

ALBRIGHT W.F., "A Case of Lèse-Majesté in Pre-Israelite Lachish.
  with Some Remarks on the Israelite Conquest",
  in : **Bulletin of the American Schools of Oriental Research**,
  87/1942 (Oct.), pp. 32-38.

ALBRIGHT W.F., "Two Little Understood Amarna Letters
  from the Middle Jordan Valley",
  in : **Bulletin of the American Schools of Oriental Research**,
  89/1943 (Febr.), pp. 7-17 :
  - [- **EA 256**, ll. 1-35 = pp. 10-15;
  - **EA 274**, ll. 10-16 <!> = pp. 15-17].

ALBRIGHT W.F., "An Archaic Hebrew Proverb in an Amarna Letter
  from Central Palestine",
  in : **Bulletin of the American Schools of Oriental Research**,
  89/1943 (Febr.), pp. 29-32 : - [= **EA 252**, ll. 1-31].

ALBRIGHT W.F., "A Tablet of the Amarna Age from Gezer",
  in : **Bulletin of the American Schools of Oriental Research**,
  92/1943 (Dec.), pp. 28-30.

ALBRIGHT W.F., "A Prince of Taanach in the Fifteenth Century B.C.",
in : **Bulletin of the American Schools of Oriental Research**,
94/1944 (Apr.), pp. 12-27.

ALBRIGHT W.F., "An Unrecognized Amarna Letter from Ugarit",
in : **Bulletin of the American Schools of Oriental Research**,
95/1944 (Oct.), pp. 30-33 : - [= **EA 45**, (**46-49**)].

ALBRIGHT W.F., "The Late Bronze Town at Modern Djett",
in : **Bulletin of the American Schools of Oriental Research**,
104/1946 (Dec.), pp. 25-26.

ALBRIGHT W.F., "Cuneiform Material for Egyptian Prosopography,
1500 - 1200 B.C.",
in : **Journal of Near Eastern Studies**, 5/1946, pp. 7-25.

ALBRIGHT W.F. - MORAN W.L., "A Re-Interpretation of an Amarna
Letter from Byblos (**EA 82**)",
in : **Journal of Cuneiform Studies**, 2/1948, pp. 239-248.

ALFRINK B., "De Hebreën in de Tell-el-Amarna Brieven ?",
in : **Studia Catholica**, 8/1932, pp. 195-219.

ALLEN T.G. / - Cf. LUCKENBILL D.D. (1916).

ALT A., "Neues über Palästina aus dem Archiv Amenophis' IV",
in : **Palästinajahrbuch**, 20/1924, pp. 22-41;

= in : **Kleine Schriften zur Geschichte des Volkes Israel**,
Vol. III, NOTH M., Ed., (München, 1959), pp. 158-175.

ALT A., "Die Landnahme der Israeliten in Palästina",
in : **Reformationsprogramm der Universität Leipzig**, (1925);

= in : **Kleine Schriften zur Geschichte des Volkes Israel**,
Vol. I, (München, 1953), pp. 89-125.

ALT A., "Zur Geschichte von Beth-Sean (1500 - 1000 v. Chr.)",
in : **Palästinajahrbuch**, 22/1926, pp. 108-120;

= in : **Kleine Schriften zur Geschichte des Volkes Israel**,
Vol. I, (München, 1953), pp. 246-255 :
- [**EA** = pp. 248-249].

ALT A., "Hic murus aheneus esto",
in : **Zeitschrift der Deutschen Morgenländischen Gesellschaft**,
86/1932-33, pp. 33-48.

ALT A., "Neues aus der Pharaonenzeit Palästinas",
in : **Palästinajahrbuch**, 31/1935, pp. 8-33 :
- [**EA** = § 2. - Aus dem Archiv Amenophis' IV" = pp. 19-25].

ALT A., "Ägyptische Tempel in Palästina und die Landnahme der
Philister",
in : **Zeitschrift des Deutschen Palästina-Vereins**, 67/1944,
pp. 1-20;

.../...

= in : **Kleine Schriften zur Geschichte des Volkes Israel,**
Vol. I, (München, 1953), pp. 216-230 :
- [**EA** = pp. 217; 223-226].

ALT A., "Ägyptisch - Ugaritisches",
in : **Archiv für Orientforschung,** 15/1945-51, pp. 69-74.

ALT A., "Das Stützpunktsystem der Pharaonen an der phönikischen
Küste und im syrischen Binnenland",
in : **Zeitschrift des Deutschen Palästina-Vereins,** 68/1950,
- [= **Beiträge zur biblischen Landes- und Altertumskunde**] -,
Fasc. 2, pp. 97-133;

= in : **Kleine Schriften zur Geschichte des Volkes Israel,**
Vol. III, NOTH M., Ed., (München, 1959), pp. 107-140.

BAEPLER F.A., **The Particles Inûma and Kî in the Amarna
Tablets,**
- Unpubl. Diss. J. Hopkins Univ., (Baltimore, 1943), 114 pp.

BAIKIE J., **The Amarna Age. - A Study of the Crisis of the Ancient
World,** (London, 1926), xx + 465 pp., avec XXXIV Planches
et 5 Cartes : - [with a Preface by COOK St.A.].
- [Ed. : A. & C. Black, Ltd.] -

BARTON G.A., "The Habiri of the El-Amarna Tablets and the Hebrew
Conquest of Palestine",
in : **Journal of Biblical Literature,** 48/1929, pp. 144-148.

BAUER H., "Die 'Löwenherrin' der Amarnabriefe Nrr. 273 und 274",
in : **Zeitschrift der Deutschen Morgenländischen Gesellschaft,**
74/1920, pp. 210-211.

BAUER Th., **Die Ostkanaanäer. - Eine philologisch-historische
Untersuchung über die Wanderschicht der sogenannten
"Amoriter" in Babylonien,** (Leipzig, 1926), VIII + 94 pp. :
- [Ed. : Verlag Asia Minor] -

C.R. : ALBRIGHT W.F., in : **A.f.O.,** 3/1926, pp. 124-126;
DHORME E., in : **R.B.,** 37/1928, pp. 63-79 & 161-180;
[39/1930, pp. 161-178; 40/1931, pp. 161-184;
LUCKENBILL D.D., in : **A.J.S.L.,** 43/1926-1927,
[pp. 306-307;
NOTH M., in : **O.L.Z.,** 30/1927, col. 945-949.

BAUMGARTNER W., Art. : "Tell-el-Amarna",
in : **Die Religion in Geschichte und Gegenwart,** 2ème éd.
revue, Vol. V, (Tübingen, 1931), col. 1037-1039.

BÖHL F.M.Th., "Die bei den Ausgrabungen von Sichem gefundenen
Keilschrifttafeln",
in : **Zeitschrift des Deutschen Palästina-Vereins,**
49/1926, pp. 321-327 et Planches 44-46 :
- [= **EA HC SKM,** N° 1-2 :
- cf. : **I.D.E.A.,** 1 (1982), pp. XXI-XXII].

BORÉE W., **Die alten Ortsnamen Palästinas**,
- Dissertation - Philos. Fakultät der Universität Leipzig,
(Lucka, b. Leipzig, 1930), 125 pp. - [Ed. : R. Berger] :
- [**EA** = pp. 14 (n. 1); 22-31; 36-40; 44-47; 51-61; 65; 68;
70-73; 83-89; 101; 117-119] :

C.R. : GALLING K., in : **O.L.Z.**, 36/1933, col. 239-241.

BORK F., "Mitlani" < sic ! >,
in : **Journal of the Royal Asiatic Society**, (N.S.)
1928, pp. 51-62 : - [**EA** = pp. 57-62].

BORK F., "Studien zum Mitani", - [= **EA 24**] -
in : **Archiv für Orientforschung**, 8/1932-33, pp. 308-314.

BORK F., "Das Zahlensystem nach der Fünf im Mitani",
in : **Orientalistische Literaturzeitung**, 35/1932, col. 89-91.

BORK F., "Mitani-Glossen und Anderes",
in : **Orientalistische Literaturzeitung**, 35/1932, col. 377-381.

BORK F., **Der Mitanibrief und seine Sprache**, in coll. : "Altkaukasische Studien", Vol. I, (Königsberg, 1939), iv + 131 pp.
- [= **EA 24**, cols. I-IV : Transcr. & Trad. = pp. 60-83].

BORK F., **Die Sprache von Qaṭna**, in coll. : "Altkaukasische
Studien", Vol. II, (Leipzig, 1939), II + 23 pp.
- [**EA** = pp. 8; 12; 16-22].

BRANDENSTEIN C.-G. VON, "Zum Churrischen Lexikon",
in : **Zeitschrift für Assyriologie**, 12/1940, pp. 83-115 :
- [**EA 24** = pp. 85-88; 95; 103; 107-115;
- **EA** (divers) = pp. 99 (n. 2); 104-105].

BRISTOWE S., **The Oldest Letters in the World tell us - what ?**,
(London, 1923).

BULL L.S., "Two Letters to Akhnaton, King of Egypt",
in : **Bulletin of the Metropolitan Museum of Art**, 21/1926,
pp. 169-176 (7 Figs.).

CAVAIGNAC E., "Tette et Šubbiluliuma",
in : **Revue d'Assyriologie**, 22/1925, pp. 127-133 (1 Carte) :

C.R. : GOETZE A., in : **Indogermanische Forschungen**,
[51/1933, pp. 179-180.

CAVAIGNAC E., "Les Annales de Šubbiluliuma",
in : **Revue des Etudes Anciennes**, 32/1930, pp. 229-244.

CAVAIGNAC E., "L'Egypte, le Mitanni et les Hittites de 1418 à
1350",
in : **Revue Hittite et Asianique**, 1/1930-31, (Fasc. 3),
pp. 61-71.

CAVAIGNAC E., "L'extension de la zone des Gasgas à l'Ouest",
in : **Revue Hittite et Asianique**, 1/1930-31, (Fasc. 4),
pp. 101-110, et Planche 3 (Carte) : - [**EA** = pp. 103-104].

CAVAIGNAC E., **Subbiluliuma et son temps**, in coll. : "Publications de la Faculté des Lettres de l'Université de Strasbourg", Fasc. 58, (Paris, 1932), 109 pp., 1 Carte et 1 Planche.

COOK St.A. / Cf. BAIKIE J. (1926).

DHORME E. [P.], "Les nouvelles tablettes d'El-Amarna", in : **Revue Biblique**, 33/1924, pp. 5-32;

= in : **Recueil Edouard DHORME. - Etudes Bibliques et Orientales**, [Abrév. : **R.E.D.**], (Paris 1951), pp. 489-519 (et p. 766 : Notes).

DHORME E. [P.], Art. : "Amarna" (Lettres d'El-Amarna), in : **Dictionnaire de la Bible - Supplément**, PIROT L. - ROBERT A. - CAZELLES H., Eds., Vol. 1 (Fasc. 7), (Paris, 1928), col. 207-225 (Figs. 10-11).

DHORME E. [P.], "Les Amorrhéens : à propos d'un livre récent", in : **Revue Biblique**, 37/1928, pp. 63-79 et 161-180; & in : **Revue Biblique**, 39/1930, pp. 161-178; & in : **Revue Biblique**, 40/1931, pp. 161-184 : - [Cf. BAUER Th., **Die Ostkanaanäer** (1926)];

= in : **Recueil Edouard DHORME**, (Paris, 1951), pp. 81-165 (et pp. 759-762) : - [**EA** = Chap. VI. - "Amourrou au temps des lettres d'El - Amarna" = pp. 128-140, et pp. 759 et 761-762 (Notes)].

DHORME E. [P.], "La question des Ḫabiri", in : **Revue de l'Histoire des Religions**, 118/1938, pp. 170-187.

DOSSIN G., "Glanes assyriologiques", in : **Revue d'Assyriologie**, 30/1933, pp. 83-92 : - [IV.- "Iâlu" = pp. 89-90].

DOSSIN G., "Une lettre d'Aménophis III [à Milkili de Gézer]", in : **Bulletin de l'Académie Royale de Belgique, - Classe des Lettres ...**, 20/1934, (Séance du 7 Mai 1934), pp. 83-92, et 1 Planche.

DOSSIN G., "Une nouvelle lettre d'El-Amarna", in : **Revue d'Assyriologie**, 31/1934, pp. 125-136;

= in : **Recueil Georges DOSSIN. - Mélanges d'Assyriologie (1934 - 1959)**, in coll. : "Akkadica. - Supplementum", Vol. I, (Bruxelles - Louvain, 1983), pp. 58-69.

DRIVER G.R., "The Modern Study of the Hebrew Language", in : **People and the Book**, (Oxford, 1925), pp. 73-120.

D[USSAUD] R., "Une nouvelle lettre d'el-Amarna", in : **Syria**, 16/1935, pp. 112-113.

EBELING E. / Cf. KNUDTZON J.A. (1915).

EBELING E., "Babylonisch-assyrische Texte" : I. Teil : "Religiöse
Texte" - Erster Abschnitt : "Mythen und Epen",
apud GRESSMANN H. [Ed.], **Altorientalische Texte zum Alten
Testament**, 2° éd. compl., (Berlin - Leipzig, 1926),
X + 478 pp. - rééds. anastat. (1965 et 1970)] :
- [Abrév. = **A.O.T.A.T.**] -
- [**EA 356** = § III : "Der Adapa-Mythos" = pp. 143-146].

EBELING E., "Babylonisch-assyrische Texte" : II. Teil : "Chrono-
logisch-historische Texte" - "Anhang",
apud GRESSMANN H. [Ed.], **Altorientalische Texte zum Alten
Testament**, 2° éd. compl., (Berlin - Leipzig, 1926),
X + 478 pp. - rééds. anastat. (1965 et 1970)] :
- [Abrév. = **A.O.T.A.T.**] -
- [**EA** = "Anhang" - pp. 370-380 :
- § I. - "Der Brief aus Tell el-Ḥasi" = p. 370;
- § II. - "Aus dem Funde von Tell Taʿannek" = p. 371;
- § III. - "Aus den El-Amarna-Briefen" = pp. 371-379].

EDEL E., "Neue keilschriftliche Umschreibungen ägyptischer Namen
aus den Boḡazköytexten",
in : **Journal of Near Eastern Studies**, 7/1948, pp. 11-24 :
- [**EA** = pp. 12/A; 13/B; 15/A; 17/B; 19-23].

FEIGIN S.I., "The Captives in Cuneiform Inscriptions",
in : **American Journal of Semitic Languages and Literatures**,
50/1933-1934, pp. 217-245, [et 51/1934-1935, pp. 22-29] :
- [**EA** = § 3. - "aṣîru and aśîru in Palestinian Letters
of the Amarna Time" = pp. 226-227].

FEIGIN S.I., "Abd-Ḥeba and the Kashi : The Attempted Assassination
of Abd-Ḥeba",
in : **The Jewish Quarterly Review**, 34/1943-44, pp. 441-458.

FRIEDRICH J. / Cf. ZIMMERN H. (1923).

FRIEDRICH J., **Kleinasiatische Sprachdenkmäler**,in coll. : "Kleine
Texte für Vorlesungen und Übungen", Vol. 163, (Berlin, 1932),
VIII + 157 pp. : - [Abrév. : **K.A.S.D.**] -
- [**EA** = Chap. II : "Subaraïsche Texte" :
- A) "Der Mitannibrief" (= **EA 24**) - pp. 8-32] :

C.R. : GÖTZE A., in : **D.L.Z.**, 54/1933, col. 2218-2220.

FRIEDRICH J., "Zum Subaräischen und Urartäischen",
in : **Miscellanea Orientalia Dedicata Antonio DEIMEL ...**,
in coll. : "Analecta Orientalia", Vol. 12, (Roma, 1935),
pp. 122-135 :
- [**EA 24** (Mitt.) = pp. 125-126 & pp. 131-134].

FRIEDRICH J., "Zwei churritische Pronomina",
in **Revue Hittite et Asianique**, 5/1938-1940, pp. 93-102.

FRIEDRICH J., **Kleine Beiträge zur Churritischen Grammatik**,
in coll. : "Mitteilungen der Vorderasiatisch-Agyptischen
Gesellschaft", Vol. 42, Fasc. 2, (Leipzig, 1939), ii + 67 pp.:

C.R. : OPPENHEIM L., in : **Or.**, 9/1940, pp. 119-121;
THUREAU-DANGIN F., in : **R.A.**, 36/1939, pp. 98-99.

FRIEDRICH J., "Der gegenwärtige Stand unseres Wissens von der
  churritischen Sprache",
  in : **Jaarbericht ... Ex Oriente Lux**, 6/1939, pp. 90-96.

FRIEDRICH J., "BORK's neue Forschungen zum Mitannibrief",
  in : **Wiener Zeitschrift für die Kunde des Morgenlandes**,
  46/1939, pp. 195-204 : - [= **EA 24**] -

FRIEDRICH J., "Aus verschiedenen Keilschriftsprachen :
  3.- Zu den Churritischen Zahlwörtern",
  in : **Orientalia**, 9/1940, pp. 348-361 : - [= **EA 24**].

FRIEDRICH J., "Zur Sprache von Qaṭna",
  in : **Wiener Zeitschrift für die Kunde des Morgenlandes**,
  47/1940, pp. 202-214.

FRIEDRICH J., "Keilschriftlich-Ägyptisches aus der Amarna und
  Hethiterzeit",
  in : **Orientalia**, 11/1942, pp. 109-118.

FRIEDRICH J., "Churritische Adjektiva auf -uzzi",
  in : **Orientalia**, 11/1942, pp. 350-352.

GADD C.J. / Cf. SMITH S. (1925).

GALLING K., e.a. [Eds.], **Textbuch zur Geschichte Israels**,
  1° éd., (Tübingen, 1950), 89 pp. (et 1 Carte) :
  - [**EA** : §§ 7 - 13 = pp. 22-29].

GARDINER A.H., **Ancient Egyptian Onomastica**, (Oxford, 1947),
  2 Tomes : - [Ed. : Oxford University Press] -
  - [Tome 1/I : - **Text** : xxiii + 68 + 215* pp. (dont 5 Figs.
  et 1 Carte);
  - Tome 1/II : - **Text** : 279* pp. (dont 3 Figs. et 5 Cartes),
  + "Indexes" (BARNS J.W.B.) = pp. 281-324;
  - Vol. 2 : - **Plates** : Planches I - XXVII :
  - [**EA** = Vol. I, pp. 125*, 128*, 131*, 152*, 165*-166*,
  176*, 191*, 194*].

GASTER Th.H., "An Egyptian Loan-Word in a Tell-Amarna Letter",
  in : **Ancient Egypt and the East**, 19/1934, p. 21.

GELB I.J., **Hurrians and Subarians**, in coll. : "Studies in Ancient
  Oriental Civilization", Vol. 22, (Chicago, 1944
  - rééd. anastat. 1973), xv + 128 pp., et 1 Carte :
  - [**EA** = pp. 2-3 (n. 11); 48-49; 66-69;
  - et "Mittanni" (= **EA 24**): pp. 70-81 (p. 76 : Table 1)]:

  C.R. : GOETZE A., in : **J.N.E.S.**, 5/1946, pp. 165-168.

GOETZE A., "An Unrecognized Ḫurrian Verbal Form",
  in : **Revue Hittite et Asianique**, 5/1938-1940, pp. 103-108.

GOETZE A., " 'To come' and 'to go' in Ḫurrian",
  in : **Language**, 15/1939, pp. 215-220 :
  - [**EA 24** = pp. 215-220, et **EA** (divers) = pp. 216 et 219].

GOETZE A., "The Ḫurrian Verbal System",
in : **Language**, 16/1940, pp. 125-140.

GOETZE A., "Is Ugaritic a Canaanite Dialect ?",
in : **Language**, 17/1941, pp. 127-138 : - [**EA** = pp. 128-131].

GOETZE A., "Enclitic Pronouns in Hurrian",
in : **Journal of Cuneiform Studies**, 2/1948, pp. 255-269.

GOETZE A. / Cf. MARCUS R. (1948).

GORDON C.H., "Eight New Cuneiform Fragments from Tell el Amarna",
in : **The Journal of Egyptian Archaeology**, 20/1934, pp. 137-138.

GORDON C.H., "The Dialect of the Nuzu Tablets",
in : **Orientalia**, 7/1938, pp. 32-63 et pp. 215-232 : - [**EA 24** = p. 232].

GORDON C.H., "Notes on the Amarna Tablets" (Illustrated),
- [= Abstract] -
apud : "The Society of Biblical Literature and Exegesis :
Seventy-fourth Annual Meeting - Proceedings, 28-30 Dec. 1938",
in : **Journal of Biblical Literature**, 58/1939, pp. I-XIX [= p. VII].

GORDON C.H., "The New Amarna Tablets" - [= **EA 370-377**],
in : **Orientalia**, 16/1947, pp. 1-21 et 2 Planches.

GRESSMANN H., "Hadad und Baal nach den Amarnabriefen und nach
ägyptischen Texten",
in : **Abhandlung zur Semitischen Religionskunde und Sprachwissenschaft Wolf Wilhelm Grafen von BAUDISSIN ... überreicht
...**, FRANKENBERG W. - KÜCHLER F., Eds., in coll. : "Beihefte
zur Zeitschrift für die Alttestamentliche Wissenschaft",
Vol. 33, (Giessen, 1918), pp. 191-216.

GRZEGORZEWSKI K., **Elemente vorderorientalischen Hofstils auf
kanaanäischem Boden**, [= Diss. Theol. Königsberg],
(Leipzig, 1937), 49 pp.

GUSTAVS A., "Kleine Mitteilungen und Anzeigen : Die marjannu im
Mitannibrief des Tušratta",
in : **Zeitschrift für Assyriologie**, 36/1925, (N.F. 2), p. 80 :
- [= **EA 24**] -

GUSTAVS A., "Eigennamen von marjannu-Leuten",
in : **Zeitschrift für Assyriologie**, 36/1925, (N.F. 2), pp. 297-302.

GUSTAVS A., "Was heisst ilâni Habiri ?",
in : **Zeitschrift für die Alttestamentliche Wissenschaft**,
44/1926, pp. 25-38 : - [**EA** = pp. 27-28].

GUSTAVS A., "Die Personnenamen in den Tontafeln von Tell Taʿannek.
- Eine Studie zur Ethnographie Nordpalästinas zur El-Amarna-Zeit",
in : **Zeitschrift des Deutschen Palästina-Vereins**,
50/1927, pp. 1-18, et 51/1928, pp. 169-218;
- [réédition : (Leipzig, 1928), iii + 67 pp.] :

C.R. : LEWY J., in : **O.L.Z.**, 32/1929, col. 172-174;
SPEISER E.A., in : **A.f.O.**, 6/1930-31, col. 113-114.

GUSTAVS A., "Kleine Mitteilungen : Der Mitanni-Stamm wur-
'versprechen' ", - [= **EA 24**] -
in : **Archiv für Orientforschung**, 8/1932-33, pp. 131-132.

HALL H.R., "Egypt and the External World in the Time of Akhenaton",
in : **The Journal of Egyptian Archaeology**, 7/1921, pp. 39-53.

HALLOCK Fr.H. / Cf. MERCER S.A.B. (1939 - rééd. anastat. : 1983).

HARRIS Z.S., **Development of the Canaanite Dialects.**
- An Investigation in Linguistic History, in coll. :
"American Oriental Series", Vol. 16, (New Haven, 1939),
x + 108 pp., et 1 Planche :

    C.R. : ALBRIGHT W.F., in : **J.A.O.S.**, 60/1940, p. 421;
            BROCKELMAN C., in : **O.L.Z.**, 40/1937, col. 527-529;
            D(USSAUD) R., in : **Syria**, 21/1940, pp. 228-240;
            GINSBERG H.L., in : **J.B.L.**, 59/1940, pp. 546-551;
            GOETZE A., in : **Language**, 17/1941, pp. 167-170;
            HOFNER M., in : **W.Z.K.M.**, 48/1941, p. 153;
            ROSENTHAL F., in : **Or.**, 11/1942, pp. 179-185;
            ROWLEY H.H., in : **P.E.Q.**, 72/1940-41, pp. 124-125;
            RYCKMANS G., in : **Muséon**, 73/1940, pp. 135-136;
            WILLIAMS R.J., in : **J.N.E.S.**, 1/1942, pp. 378-380.

HELCK H.-W., **Der Einfluss der Militärführer in der 18. Ägypti-**
schen Dynastie, in coll. : "Untersuchungen zur Geschichte
und Altertumskunde Aegyptens", Vol. 14, (Leipzig, 1939),
viii + 87 pp. : - [**EA** = pp. 38-39, 52 et 77] -

    C.R. : SCHARFF A., in : **Or.**, 9/1940, pp. 144-148.

HERDNER A., "Une particularité grammaticale commune aux textes
d'El-Amarna et de Ras-Shamra : -t- , préfixe pronominal de
la troisième personne masculin pluriel",
in : **Revue des Etudes Sémitiques**, 3/1938, pp. 76-83.

HROZNÝ B., "Die Länder Churri und Mitanni und die ältesten Inder",
in : **Archiv Orientalni**, 1/1929, pp. 91-110, et Planche I
(Carte).

HROZNÝ B., "La deuxième lettre d'Arzava et le vrai nom des
Hittites indo-européens", - [= **EA 32**] -
in : **Journal Asiatique**, 218/1931, pp. 307-320.

JIRKU A., "Eine hethitische Ansiedlung in Jerusalem zur Zeit von
El-Amarna",
in : **Zeitschrift des Deutschen Palästinavereins**, 44/1921,
pp. 58-61.

JIRKU A., "Indar-uta von 'Akšaf, ein palästinensischer Fürst der
Zeit von El-Amarna",
in : **Zeitschrift für Assyriologie**, 36/1925, (N.F. 2),
pp. 74-76.

JIRKU A., "Kleine Mitteilungen und Anzeigen : Ein Nachwort zu
Indar-uta von 'Akšaf",
in : **Zeitschrift für Assyriologie**, 36/1925, (N.F. 2), p. 164.

JIRKU A., "Zu den kanaanäischen Psalmenfragmenten in den Briefen von El-Amarna",
in : **Forschungen und Fortschritte**, 7/1931, pp. 456-457.

JIRKU A., "Kanaʿanäische Psalmenfragmente in der vorisraelitischen Zeit Palästinas und Syriens",
in : **Journal of Biblical Literature**, 52/1933, pp. 108-120;

= in : **Von Jerusalem nach Ugarit. - Gesammelte Schriften**, (Graz, 1966), pp. 331-343. - [Ed. : Akadem. Druckanstalt] -

JIRKU A., **Die ägyptischen Listen palästinensicher und syrischer Ortsnamen, in Umschrift und mit historisch-archäologischem Kommentar herausgegeben**, in coll. : "Klio", Beiheft XXXVIII, (N.F., Heft 25), (Leipzig, 1937), iv + 62 pp. :

C.R. : ALBRIGHT W.F., in : **A.f.O.**, 12/1938, col. 157-159;
APPELT K., in : **W.Z.K.M.**, 47/1940, pp. 306-307;
EDWARDS I.E.S., in : **J.E.A.**, 24/1938, pp. 252-253;
MONTET P., in : **Kêmi**, 6/1936, pp. 171-173;
NOTH M., in : **Z.D.P.V.**, 61/1938, pp. 135-137;
VOGT E., in : **Or.**, 7/1938, pp. 151-155.

JIRKU A., "Der Name der Stadt Jerusalem",
in : **Wiener Zeitschrift für die Kunde des Morgenlandes**, 46/1939, pp. 205-208.

KNUDTZON J.A., "Zum sog. 2. Arzawa-Brief", - [= **EA 32**] -
in : **Orientalistiche Literaturzeitung**, 19/1916, col. 135-137.

KONING J. DE, **Studiën over de El-Amarnabrieven en het Oude - Testament in zonderheid uit historisch Oogpunt**, (Delft, 1940), 557 pp. - [Ed. : Vrije Universiteit te Amsterdam] :

C.R. : ALBRIGHT W.F., in : **J.N.E.S.**, 6/1947, pp. 58-59;
ALT A., in : **A.F.O.**, 14/1941-44, pp. 349-352;
NOTH M., in : **Z.D.P.V.**, 64/1941, pp. 115-117;
SODEN VON W., in : **Z.A.**, NF 13/1942, pp. 250-251.

LANDESDORFER B.S., "Ueber Name und Ursprung der Hebräer",
in : **Theologische Quartalschrift**, 104/1923, pp. 201-232 :
- [**EA** = pp. 217-219; 228-229].

LEWY J., "The Šulmān Temple in Jerusalem",
in : **Journal of Biblical Literature**, 59/1940, pp. 519-522.

LUCKENBILL D.D. - ALLEN T.G., "The MURCH Fragment of an El-Amarna Letter",
in : **American Journal of Semitic Languages and Literatures**, 33/1916, pp. 1-8 (2 Planches).

LUCKENBILL D.D., "A Difficult Passage in an Amarna Letter",
in : **American Journal of Semitic Languages and Literatures**, 35/1918, pp. 158-159. - [= **EA 8**/38-39].

MAHLER E., **Zur Chronologie der El-Amarna-Zeit**, in coll. :
"Scripta Universitatis atque Bibliothecae Hierosolymitana- rum", Vol. I/3, (Jerusalem, 1923).

MAISLER [= MAZAR] B., "A New Document from El-Amarna",
in : **Bulletin of the Jewish Palestine Exploration Society**,
2/1934-35, pp. 38-40 [en Hébreu];

= **Bulletin of the Israel Exploration Society Reader**,
(Jerusalem, 1965), pp. 264-266.

MAISLER [= MAZAR] B., "The Taᶜanak Tablets" [en Hébreu],
in : **KLAUSNER Volume**, (Tel-Aviv, 1937), pp. 44-51.

MARCUS R., "On the Genitive after umma in the Amarna Tablets",
[avec une "Note", de GOETZE A. = p. 224],
in : **Journal of Cuneiform Studies**, 2/1948, pp. 223-224.

MARTY J., "Contribution à l'étude de fragments épistolaires
antiques, conservés principalement dans la Bible hébraïque :
les formules de salutation",
in : **Mélanges Syriens ... à R. DUSSAUD**, Tome II, in coll. :
"Bibliothèque Archéologique et Historique", Vol. XXX,
(Paris, 1939), pp. 845-855 :
- [**EA** : § I. - "Lettres de Tell el Amarna" = pp. 845-847].

MAYNARD J.A., "Short Notes on the Amarna Letters",
in : **Journal of the Society of Oriental Research**, 8/1924, p. 76.

MAYNARD J.A., "Textual Notes on the Amarna Letters",
in : **Journal of the Society of Oriental Research**, 9/1925,
pp. 129-130.

MEISSNER B., "Kleine Mitteilungen : Amarna, Nr. **244**, 14",
in : **Archiv für Orientforschung**, 5/1928-29, p. 184.

MENDENHALL G.E., "The Message of Abdi-Ashirta to the Warriors,
EA 74",
in : **Journal of Near Eastern Studies**, 6/1947, pp. 123-124.

MERCER S.A.B., "The Hittites, Mitanni and Babylonia in the Tell
el-Amarna Letters",
in : **Journal of the Society of Oriental Research**, 8/1924,
pp. 13-28.

MERCER S.A.B., **The Tell el-Amarna Tablets**, Vols. I - II, - with
the assistance of HALLOCK Fr.H., (Toronto, 1939), xxiv +
909 pp., 2 Pls. et 1 Carte [Ed. : Macmillan C° of Canada] :
- [rééd. anastat. : - Vols. I - II, (New York, 1983).
xxiv + 909 pp. (ill.), et 1 carte. - Ed. : A.M.S. Press] -

C.R. : ALBRIGHT W.F., in : **J.B.L.**, 59/1940, pp. 313-315;
DRIVER G.R., in : **J.Th.S.**, 41/1940, pp. 192-193;
GADD C.J., in : **P.E.Q.**, 72/1940-41, pp. 116-123;
GOETZE A., in : **A.J.A.**, 44/1940, pp. 399-400;
GOOSSENS G., in : **Chron.d'Eg.**, 30/1940, pp. 225-226;
GORDON C.H., in : **U.T.Q.**, 9/1939-40, pp. 242-244;
POHL A., in : **Or**, 10/1941, p. 154;
RYCKMANS G., in : **Mus.**, 53/1940, pp. 136-137;
SMITH S., in : **B.S.O.S.**, 10/1939-42, pp. 492-497.

MORAN W.L. / Cf. ALBRIGHT W.F. (1948).

MORAN W.L., "An Unexplained Passage in an Amarna Letter from Byblos",
in : **Journal of Near Eastern Studies**, 8/1949, pp. 124-125.

NOTH M., "Die Wege der Pharaonenheere in Palästina und Syrien. - Untersuchungen zu den hieroglyphischen Listen palästinischer und syrischer Städte",
in : **Zeitschrift des Deutschen Palästinavereins**,
60/1937, pp. 183-239 - [**EA** = pp. 229-239], et
61/1938, pp. 26-65 - [**EA** = p. 63];

= in : NOTH M., **Aufsätze zur biblischen Landes- und Altertums-kunde**, WOLFF H.W., Ed. - Vol. 2 : **Beiträge altorientalischer Texte zur Geschichte Israels**, (Neukirchen-Vluyn, 1971),
pp. 3-44 et 44-73 - [& cf. "Index" = p. 280].

O'CALLAGHAN R.T., **Aram Naharaim. - A Contribution to the History of Upper Mesopotamia in the Second Millenium B.C.**, in coll. : "Analecta Orientalia", Vol. 26, (Roma, 1948), XVI + 164 pp.,
XXXVIII Planches et 3 Cartes :
- [Chap. IV : "The Mitanni Kingdom" = pp. 51-92 :
- **EA** = pp. 56-57; 59-63; 80-87; 91 (n. 3); - et pp. 137-138].

OFFORD J., "Notes and Queries : 2. - New Tablets from Amarna",
in : **Palestine Exploration Fund. - Quarterly Statement**,
1919, p. 47.

OPITZ D., "Kleine Mittleilungen und Anzeigen :
- Eine verlorene Tell-el-Amarna-Tafel",
in : **Zeitschrift für Assyriologie**, 36/1925, (N.F. 2),
pp. 80-81.

PEDERSEN J., "Notes and Comments : Note on Hebrew hofši",
in : **Journal of the Palestine Oriental Society**, 6/1926,
pp. 103-105 :
- [cf. ALBRIGHT W.F., - ibidem -, pp. 106-108].

PEET T.E., "Additional Note",
apud : SMITH S. - GADD C.J., "A Cuneiform Vocabulary of Egyptian Words [= EA 368]",
in : **The Journal of Egyptian Archaeology**, 11/1925,
pp. 230-240 : [= pp. 239-240].

PEISER F.E., "Zum ältesten Namen Kana'ans",
in : **Orientalistische Literaturzeitung**, 42/1919, col. 5-8.

RANKE H., "Keilschriftliches : §§ X. - XII.",
in : **Zeitschrift für die Ägyptische Sprache**, 73/1936,
pp. 90-93.

RIEDEL W., **Untersuchungen zu den Tell-el-Amarna-Briefen**,
= Diss. Philos., Univ. Tübingen, (Tübingen, 1920), v + 31 pp.

RIEDEL W., "Das Archiv Amenophis IV.",
in : **Orientalistische Literaturzeitung**, 42/1939,
col. 145-148.

SACHS A., "Two Notes on the Taanach and Amarna Letters",
in : **Archiv für Orientforschung**, 12/1937-1939, pp. 371-373.

SAYCE A.H., "The Discovery of the Tel El-Amarna Tablets",
in : **American Journal of Semitic Languages and Literatures**,
33/1917, pp. 89-90.

SCHACHERMEYR F., "Zum ältesten Namen von Kypros",
in : **Klio**, 17/1921, pp. 230-239.

SCHÄFER H., "Die ägyptische Königsstandarte in Kadesh am Orontes",
in : **Sitzungsberichte der Preussischen Akademie der Wissenschaften zu Berlin, - Philologische-historische Klasse**,
- [Séance du 22 Oct. 1931], Vol. XXV, (Berlin, 1931),
Fasc. 2, pp. 738-742 : - [**EA** = pp. 738-740].

SCHROEDER O., "Zum sog. 2. Arzawa-Brief (VAT 342). - Nachtrag",
- [= **EA 32**] -
in : **Orientalistische Literaturzeitung**, 19/1916, col. 138.

SCHROEDER O., "Zu Berliner Amarnatexten", - [= **EA 361**] -
in: **Orientalistische Literaturzeitung**, 20/1917, col. 105-106.

SCHROEDER O., "Über die Glossen ši-ir(-ma) und mar-ia-nu(-ma)
in den Briefen Rib-Addi's",
in: **Orientalistische Literaturzeitung**, 21/1918, col. 125-127.

SCHROEDER O., "Assyrische Gefässnamen",
in : **Archiv für Orientforschung**, 6/1930-1931, pp. 111-112.

SCHROEDER O., Art. : "Briefe (in Keilschrift)" :
- § 7a) : "Die El-Amarna-Briefe",
in : **Reallexikon der Assyriologie**, Vol. II, (Berlin - Leipzig,
1938), pp. 62/B-68/A [= pp. 66/A-67/A].

SKOELD H., "Sur la lettre en langue Mitanni [= **EA 24**]",
in : **Journal of the Royal Asiatic Society**, (N.S.) 1926,
pp. 667-678.

SMITH S. - GADD C.J., "A Cuneiform Vocabulary of Egyptian Words"
[= **EA 368**],
in : **The Journal of Egyptian Archaeology**, 11/1925,
pp. 230-239 :
- PEET T.E., "Additional Note", - ibidem -, pp. 239-240].

SMITH S., "Amarna Letter **170** and Chronology",
in : **In Memoriam Halil EDHEM**, Vol. I, in coll. : "Türk Tarih
Kurumu Yayinlarindan", 7° Série, N° 5, (Ankara, 1947), pp. 33-43.

SODEN W. VON, "Kleine Beiträge : 2.- Zu Amarna KNUDTZON Nr. **29**,
184 und **41**, 39 ff.",
in : **Zeitschrift für Assyriologie**, 45/1939, pp. 69-82 :
- [**EA** = pp. 70-73].

SPEISER E.A., "Studies in Hurrian Grammar",
in : **Journal of the American Oriental Society**, 59/1939,
pp. 289-324. - [= **EA 24**] -

SPEISER E.A., "Phonetic Method in Hurrian Orthography",
in : **Language**, 16/1940, pp. 319-340.

SPEISER E.A., **Introduction to Hurrian**, in coll. : "The Annual
of the American Schools of Oriental Research", Vol. XX,
(New Haven, 1941), xxix + 230 pp. : - [= **EA 24**] -
- [**EA**- Cf. "Index of Passages (EA & Mit.)" = pp. 229-230].

STURM J., "Zur Datierung der El-Amarna Briefe",
in : **Klio**, 26/1933, pp. 1-28.

STURM J., "Wer ist Pipḫururiaš ?",
in : **Revue Hittite et Asianique**, 2/1933, pp. 161-176.

TAUBLER E., "Zur Deutung des El-Amarna-Briefes KNUDTZON Nr. 9",
in : **Festschrift (für) C.F. LEHMANN-HAUPT**, (Leipzig - Wien,
1921), = **Janus**, 1/1921, pp. 111-114.

TAUBLER E., "Chazor in den Briefen von Tell el-Amarna",
in : **Festschrift für Leo BAECK**, (Berlin, 1938), pp. 4-30.

THUREAU-DANGIN F., "Notes assyriologiques" : XXXII) "Subir -
Subartu",
in : **Revue d'Assyriologie**, 17/1920, pp. 27-34 [= p. 32] :
- [**EA** : - cf. KNUDTZON J.A., in : V.A.B., II/2 (1915) :
- WEBER O. : "Eigennamenverzeichnisse - b) Geographische
Namen", = pp. 1555-1583 (p. 1579)].

THUREAU-DANGIN F., "Nouvelles lettres d'El-Amarna",
in : **Revue d'Assyriologie**, 19/1922, pp. 91-108;
- [Cp. : **C.R.A.I.B.L.**, 1918, pp. 104-105
(Séance du 22 Févr. 1918)];
- C.R. : D[USSAUD] R., in : **Syria**, 4/1923, p. 177.

THUREAU-DANGIN F., "Une lettre d'Aménophis (III ou IV)",
in : **Recueil d'Etudes Egyptologiques dédiées à la mémoire
de Jean-François CHAMPOLLION ...**, in coll. : "Bibliothèque
de l'Ecole des Hautes-Etudes. - Sciences historiques et
philologiques", Fasc. 234, (Paris, 1922), pp. 377-382.

THUREAU-DANGIN F., "Le nom du prince de Jérusalem au temps
d'El-Amarna",
in : **Mémorial LAGRANGE. - Cinquantenaire de l'Ecole Biblique
et Archéologique Française de Jérusalem, (15 Nov. 1890 -
15 Nov. 1940)**, (Paris, 1940), pp. 27-28.

THUREAU-DANGIN F., "Bir-ia-wa-za",
in : **Revue d'Assyriologie**, 37/1940-1941, p. 171.

TOWERS J.R., "The Syrian Problem in the El-Amarna Period",
in : **Ancient Egypt and the East**, 19/1934, pp. 49-55.

TUR-SINAI [TORCZYNER] N.H., " 'Byd', 'Bdy' in the Scriptures and
in Canaanite of El-Amarna" [en Hébreu],
in : **Sefer ha-Yovel. - [= Festschrift for] Samuel KRAUSS**,
(Jerusalem, 1936), pp. 1-4.

UNGNAD A., "Das hurritische Fragment des Gilgamesh-Epos",
in : **Zeitschrift für Assyriologie**, 35/1923-1924, (N.F., 1),
pp. 133-140 : - [**EA 24** = pp. 136-139].

UNGNAD A., **Subartu. - Beiträge zur Kulturgeschichte und Völker-
kunde Vorderasiens**, (Berlin - Leipzig, 1936), XI + 204 pp. :
- [**EA** = pp. 49-51; 126-132; 155-160] :

C.R. : CHRISTIAN V., in : **W.Z.K.M.**, 45/1938, pp. 138-141.

VIROLLEAUD Ch., "Sur /sal/ maiâti (Lettres d'El-Amarna, N° **155**)",
in : **Revue des Etudes Sémitiques - [Babyloniaca]**,
6/1942-1945, pp. 101-104.

WEBER O. / Cf. KNUDTZON J.A. (1915).

ZIMMERN H. - FRIEDRICH J., "Der Briefwechsel zwischen Šubbiluliu-
maš und der Witwe des Bib/pḫururiaš (d.i. Amenophis IV ?)",
in : **Zeitschrift für Assyriologie**, 35/1923-1924, (N.F., 1),
pp. 37-42.

AARTUN K., "Neue Beiträge zum Ugaritischen Lexikon, I",
  in : **Ugarit-Forschungen**, 16/1984, pp. 1-52 :
- [**EA** : § 30 = pp. 22-23].

ADLER H.-P., **Das Akkadische des Königs Tušratta von Mitanni**,
  in coll. : "Alter Orient und Altes Testament", Vol. 201,
  Kevelaer - Neukirchen/Vluyn, 1976), XIII + 363 pp. :
- [= **EA 17-30** (sauf 24)] -

  C.R. : RAINEY A.F., in : **Bi.Or.**, 37/1980, pp. 194-197;
    SAGGS H.W.F., in : **B.S.O.A.S.**, 41/1978, pp. 148-149;
    S[OGGIN] J.A., in : **Z.A.W.**, 89/1977, p. 146.

AHARONI Y., **The Land of the Bible. - A Historical Geography**,
- [Translated from the Hebrew : **The Land of Israel in Biblical
  Times**, (Jerusalem, 1962), by RAINEY A.F.], (London, 1967),
  xiv + 409 pp. (dont 34 Cartes) :
- [**EA** = pp. 62-71; 87-88; 143-175, 191].

AHARONI Y., "Rubute and Ginti-Kirmil",
  in : **Vetus Testamentum**, 19/1969, pp. 137-145 (3 Figs.) et Planche I :
- [**EA** = pp. 137; 142-144].

AḤITUV S., "Economic Factors in the Egyptian Conquest of Canaan",
  in : **Israel Exploration Journal**, 28/1978, pp. 93-105.

AḤITUV S., "The Alliance Oath of the Canaanite Vassals to the Pharaoh",
  in : **Studies in the Bible and the Ancient Near East Presented to
  Samuel E. LOEWENSTAMM**, AVISHUR Y. - BLAU J., Eds.,
  (Jerusalem, 1978), pp. 55-60.

AḤITUV S., **Canaanite Toponyms in Ancient Egyptian Documents**,
  (Jerusalem - Leiden, 1984), xix + 215 pp., XII Planches et 4 Cartes :

  C.R. : ASTOUR M.C., in : **J.N.E.S.**, 48/1989, pp. 35-38;
    KITCHEN K.A., in : **B.L.O.T.**, 1986, p. 35;
    KNAUF E.A. - LENZEN C.J., in : **Z.D.P.V.**, 105/1989,
                    [pp. 174-177;
    RAY J.D., in : **V.T.**, 38/1988, pp. 370-372;
    RAINEY A.F., in : **J.A.O.S.**, 107/1987, pp. 534-538;
    SCHMITT H.C., in : **Z.A.W.**, 100/1988, p. 308.

AHLSTRÖM G.W., **The History of Ancient Palestine from the Palaeo-lithic Period to Alexander's Conquest**, in coll. : "Journal for the Study of the Old Testament - Supplement Series", Vol.146, (Sheffield, 1993), 990 pp., 24 Cartes & 8 Planches :
- [Chap. 5 : "The Late Bronze Age" = pp. 217-281 (Carte 8) :
- **EA** : "The Amarna Period" = pp. 239-254 (& pp. 236; 238), & Carte N° 8 : "Cities of the Amarna Letters"].

ALBRIGHT W.F., "Akkadian Letters : The Amarna Letters" [= Chap. IX : "Letters"], in : **Ancient Near Eastern Texts Relating to the Old Testament**, PRITCHARD J.B., Ed. :
- 1ère éd. : (Princeton, 1950), 526 pp. : **EA** = pp. 483-490;
- 2ème éd. [avec MENDENHALL G. (1955)]: **EA** = pp. 483-490.

ALBRIGHT W.F., "The Letters of 'Abdu-Kheba, Prince of Jerusalem", in : **Bulletin of the American Schools of Oriental Research. - Supplementary Studies**, 1950, pp.

ALBRIGHT W.F. - MORAN W.L., "Rib-Adda of Byblos and the Affairs of Tyre (**EA 89**)", in : **Journal of Cuneiform Studies**, 4/1950, pp. 163-168.

ALBRIGHT W.F., "The Amarna Letters from Palestine", in : **The Cambridge Ancient History**, 3° éd. [= **C.A..H., 3**], Vol. II, Part 2, (Cambridge, 1975), xxiii + 1128 pp. :
- [**EA** : Chap. XX = pp. 98-116 (1 Carte), et pp. 927-930 (Bibliographie)] :

C.R. [de l'éd. provisoire [2° éd.], par Fascicules :
= Fasc. N° 51 (1966), 60 pp. : **EA** = pp. 3-23] :
    CARRUBA O., in : **Athenaeum**, 47/1969, pp. 313-315;
    DELVOYE Ch., in : **Ant.Cl.**, 36/1967, pp. 360-361;
    DONNER H., in : **O.L.Z.**, 64/1969, col. 348-349;
    HORNUNG E., in : **Bi.Or.**, 23/1966, pp. 261-263;
    HORNUNG E., in : **Z.D.P.V.**, 83/1967, pp. 89-90;
    HUFFMON H.B., in : **J.A.R.C.E.**, 6/1967, pp. 168-169;
    LAMBERT M., in : **R.H.**, 140/1968, p. 545;
    P[ARROT] A., in : **Syria**, 43/1966, pp. 309-310;
    PRITCHARD J.B., in : **J.B.L.**, 85/1966, pp. 491-492;
    VAUX R. DE, in : **R.B.**, 74/1967, pp. 301-302.

ALDRED C., **Akhenaten, Pharaoh of Egypt : A New Study**, in coll. : "New Aspects of Antiquity", Sir WHEELER M., Ed., (London, 1968), 272 pp. (6 Figs.) et Planches 17-120 :
- [**EA** : Chap. XI - "The Amarna Letters" = pp. 197-209] :

C.R. : NEEDLER W., in : **Chron. d'Eg.**, 44/1969, pp. 278-280.

ALDRED C., "The Foreign Gifts Offered to Pharaoh",
in : **The Journal of Egyptian Archaeology**, 56/1970, pp. 105-116 :
- [**EA** = pp. 109, 111 et 115].

ALDRED C., "Egypt : The Amarna Period and the End of
the Eighteenth Dynasty",
in : **The Cambridge Ancient History**, 3° éd. [= **C.A..H. 3**],
Vol. II, Part 2, (Cambridge, 1975), xxiii + 1128 pp. :
- [**EA** : Chap. XIX = pp. 49-97, et pp. 919-927 (Bibliographie)].

C.R. [de l'éd. provisoire [2° éd.], par Fascicules :
= Fasc. N° 71 (1971), 59 pp. = Chap. XIX] :
    LEHMANN D., in : **R.E.A.**, 73/1971, pp. 442-443;
    MIHALIK I., in : **C.B.Q.**, 34/1972, pp. 343-344;
    MUELLER D., in : **J.A.O.S.**, 93/1973, pp. 399-400;
    NORTH R., in : **Biblica**, 58/1977, pp. 246-258;
    TEFNIN R., in : **Ant.Cl.**, 41/1972, pp. 385-386;
    VANDERSLEYEN C., in : **Chron.d'Eg**, 48/1973, pp. 95-97;
    WENTE E.F., in : **J.N.E.S.**, 32/1973, pp. 247-248.

ALDRED C., **Akhenaten, King of Egypt**, (London, 1988), 320 pp. (ill.) :
- [Ed. : Thames & Hudson] -

C.R. : ALFORD G., in : **B.A.**, 52/1989, pp. 151-152;
    BENTLEY J., in : **Anc.Hist.Res.**, 20/1990, pp. 167-168;
    EATON-KRAUSS M., in : **Bi.Or.**, 47/1990, col. 541-559;
    HOLLIS S.T., in : **B.A.R.**, 15/1989, Fasc. 3, pp. 6-8.

ALT A., "Neue Berichte über Feldzüge von Pharaonen des Neuen Reiches
nach Palästina",
in : **Zeitschrift des Deutschen Palästina-Vereins**, 70/1954, pp. 33-75 :
- [**EA** = pp. 51 (n. 69); 56 (n. 86); 63 (n. 101)].

ALTMAN A., **The House of ʿAbdi-Ashirta**,
- Unpubl. M.A. Diss., Bar-Ilan University (Israel), 1964 :
- [Cf. DELLER K., "Keilschriftchronik, 3",
in : **Orientalia**, 34/1965, pp. 172* (et 239)].

ALTMAN A., **The Kingdom of Amurru and 'The Land of Amurru',
1500 - 1200 B.C.** [en Hébreu],
- Ph.D. Thesis, Bar-Ilan University, Ramat-Gan (Israël), June 1973,
2 Volumes : - Vol. A : **Text**, 354 + x pp.;
- Vol. B : **Notes**, 230 + i pp. [avec "Résumé" en Anglais].

ALTMAN A., "Was Ugarit Ever Subject to the Eighteenth-Dynasty
Pharaohs ?" [en Hébreu],
in : **Bar-Ilan : Studies in Judaica and the Humanities**,
13/1976, pp. 1-16, [et pp. ix-xi : "English Summary"].

ALTMAN A., "The Struggle for the Control of Highways in the Amarna
Period (14th Century B.C.E.)" [en Hébreu],
in : **Bar-Ilan : Studies in Judaica and the Humanities**,
14-15/1977, pp. 1-29, [et pp. 108-109 : "English Summary"].

ALTMAN A., "The Fate of Abdi-Ashirta",
in : **Ugarit-Forschungen**, 9/1977, pp. 1-10 :
- [avec un "Appendix" de KLEIN J. = pp. 10-11 / Cf.].

ALTMAN A., "The Revolutions in Byblos and Amurru during the Amarna
Period and their Social Background",
in : **Bar-Ilan Studies in History**, Vol. I, ARTZI P., Ed.,
(Ramat-Gan, 1978), pp. 3-24;

= in : **Shnaton**, 4/1980, pp. 152-170 [en Hébreu].

ALTMAN A., "Some Controversial Toponyms from the Amurru Region
in the Amarna Archive",
in : **Zeitschrift des Deutschen Palästina-Vereins**, 94/1978, pp. 99-107.

ALTMAN A., "RS 17.132 : A Letter Sent by Šuppiluliuma I, King of Ḫatti,
to Niqmaddu II, King of Ugarit, and its Historical and Juridical
Significance" [en Hébreu],
in : **Bar-Ilan : Studies in Judaica and the Humanities**, 20-21/1983,
pp. 322-348, [et p. XXX : "English Summary"].

ANGERSTORFER A., "Ašerah als 'Consort of Jahwe' oder Aširtah ?",
in : **Biblische Notizen**, 17/1982, pp. 7-16 :
- [**EA** = pp. 11, 13-14].

ARBELI Sh. / Cf. HELTZER M. (1981).

ARNAUD D., "Problèmes théoriques de la transcription des textes en
accadien périphérique et, en particulier, des textes provenant de Syrie",
in : **Le déchiffrement des écritures et des langues**, LECLANT J., Ed.,
- [= **Colloque du "XXIX° Congrès International des Orientalistes"**,
Paris - Juillet 1973], (Paris, 1975), pp. 101-104.

ARNAUD D., "Religion assyro-babylonienne"
[Résumés des Conférences et des Travaux],
in : **Annuaire - Ecole Pratique des Hautes-Etudes (V° Section)**,
Tome LXXXIX, 1980-1981, (Paris, 1981), pp. 305-312 :
- [**EA** = pp. 309-311].

ARNAUD D., "Les textes cunéiformes suméro-accadiens des campagnes
1979 - 1980 à Ras-Shamra - Ougarit",
in : **Syria**, 59/1982, pp. 199-222 :
- [**EA 374** = / Cf. : § 2.- "La liste de noms divins, dite 'Liste WEIDNER'
(RS.1979-24 + RS.1980-388)" = pp. 203-208].

ARNAUD D., "Une lettre de Kamid-el-Loz",
    in : **Semitica**, 40/1991, pp. 7-16 (dont 2 Planches).

ARO J., **Studien zur Mittelbabylonischen Grammatik**, in coll. :
    "Studia Orientalia" [Edidit Societas Orientalis Fennica],
    Vol. XX, (Helsinki, 1955), 175 pp. :

C.R. : POHL A., in : **Or.**, 25/1956, p. 271.

ARTZI P., "The 'Glosses' in the El-Amarna Tablets. - A Contribution
    to the Study of Cultural and Writing Traditions among the Scribes
    of Canaan before the Israelite Conquest" [en Hébreu],
    in : **Bar-Ilan : Studies in Judaica and the Humanities**,
    1/1963, [= **P. CHURGIN Memorial Volume**, (Jerusalem, 1963)],
    pp. 24-57, & pp. xiv-xvii : "Résumé" (en Anglais) :

ARTZI P., " 'Vox populi' in the El-Amarna Tablets",
    in : **Revue d'Assyriologie**, 58/1964, pp. 159-166.

ARTZI P., "The Exact Number of the Published Amarna Documents",
    in : **Orientalia**, 36/1967, p. 432.

ARTZI P., "The Precise Number of the Published Amarna Documents"
    [en Hébreu],
    in : **Yediôt**, 31/1967, pp. 128-131.

ARTZI P., "Some Unrecognized Syrian Amarna Letters (**EA 260, 317, 318**)",
    in : **Journal of Near Eastern Studies**, 27/1968, - [= **Comptes Rendus
    de la XVI° Rencontre Assyriologique Internationale**,
    - Chicago, 20 - 23 August 1967], pp. 163-171.

ARTZI P., "Evidence of Lexical Knowledge in the Amarna Letters",
    in : **Bar-Ilan. - Volume in Humanities and Social Sciences**,
    = **Decennial Volume, II - (1955 - 1965)**, KADDARI M.Z., Ed.,
    (Jerusalem, 1969), pp. VII-X, [et p. 208 : "Résumé" en Hébreu].

ARTZI P., "The First Stage in the Rise of the Middle-Assyrian Empire :
    EA 15" [en Hébreu],
    in : **Eretz-Israel**, 9/1969, - [= **W. F. ALBRIGHT Volume**,
    MALAMAT A., Ed.], pp. 22-28, [et p. 134 : "English Summary"].

ARTZI P., "The Birth of the 'Middle East'. - ('The Extended Age
    of the Amarna Archive', c. 1460 - 1200 V.O.E." [en Hébreu],
    in : **Proceedings of the Fifth** < sic ! > **World Congress of
    Jewish Studies**, Jerusalem, 3 - 11 August 1969, Vol. I,
    (Jerusalem, 1969), pp. 120-124, [et p. 239 : "Résumé" en Anglais].

ARTZI P., "The Influence of the Age of the Amarna Archives on
the Development of the Western Ancient Near East" [Résumé],
in : **Proceedings of the 27th International Congress of
Orientalists**, Ann Arbor (Mich.), 13 - 19 August 1967,
SINOR D., Ed., (Wiesbaden, 1971), p. 66.

ARTZI P., "Observations on the Present Stage of Historical
Research on the Age of the Amarna Archive",
in : **Internationale Tagung der Keilschriftforscher der
sozialistischen Länder. - Assyriologia**, (Budapest, 1974),
Vol. 1, p. 16.

ARTZI P., "El Amarna Document N° **30**",
in : **Actes du XXIX° Congrès International des Orientalistes**,
Paris - Juillet 1973, - Fasc. 1 : **Assyriologie**, (Paris, 1975), pp. 1-7.

ARTZI P., "The Rise of the Middle-Assyrian Kingdom, according to
El-Amarna Letters **15 & 16**. - A Contribution to the Diplomatic
History of Ancient Near East in the Mid-Second Millenium B.C.E.",
in : **Bar-Ilan Studies in History**, Vol. I, ARTZI P., Ed.,
(Ramat-Gan, 1978), pp. 25-41.

ARTZI P., "Mourning in International Relations",
in : **Death in Mesopotamia. - Papers Read at the "XXVI°
Rencontre Assyriologique Internationale"**, Copenhagen - 1979,
ALSTER B., Ed., in coll. : "Mesopotamia", Vol. 8, (Copenhagen, 1980),
pp. 161-170.

ARTZI P. - LASK W., " 'The King and the Evil Portending, Ominous Sign
in His House' (**EA 358**)",
in : **Mesopotamien und seine Nachbarn. - Politische und kulturelle
Wechselbeziehungen im Alten Vorderasien vom 4. bis 1. Jahrtausend v. Chr.**, - [= **XXV° Rencontre Assyriologique Internationale
- Berlin, 3.-7. Juli 1978**], NISSEN H.-J. - RENGER J., Eds.,
in coll. : "Berliner Beiträge zum Vorderen Orient", Vol. 1/1, (Berlin, 1982),
pp. 317-320. - [2° éd. corr. - 1987]. - [Ed. : D. REIMER Verlag] -

ARTZI P., [apud EDZARD D.O., "Amarna und die Archive"]
- "Respondents",
in : **Biblical Archaeology Today. - Proceedings of the International
Congress on Biblical Archaeology, Jerusalem - April 1984**,
(Jerusalem, 1985), pp. 269-273.

ARTZI P., "Observations on the 'Library' of the Amarna Archives",
in : **Cuneiform Archives and Libraries. - Papers Read at the
30° Rencontre Assyriologique Internationale, - Leiden, 4 - 8 July 1983**,
VEENHOF K.R., Ed., in coll. : "Publications de l'Institut historique -
archéologique néerlandais", Vol. 57, (Istanbul, 1986), pp. 210-212.

ARTZI P., "The Influence of Political Marriages on the International
Relations of the Amarna-Age",
   in : **La femme dans le Proche-Orient antique. - Compte rendu
   de la XXXIII° Rencontre Assyriologique Internationale,
   - Paris, 7-10 Juillet 1986**, DURAND J.-M., Ed., (Paris, 1987),
   pp. 23-26. - [Ed. Recherche sur les Civilisations].

ARTZI P., "Amarna Document **43**" [Abstract],
   in : **Abstracts. - XXXIV° Rencontre Assyriologique Internationale, - Istanbul, 6-10 Juillet 1987**, (Istanbul, 1987), p. 5.

ARTZI P., "Studies in the Library of the Amarna Archive",
   in : **Bar-Ilan Studies in Assyriology Dedicated to Pinḫas ARTZI**,
   KLEIN J. - SKAIST A., Eds., in coll. : "Bar-Ilan Studies in Near Eastern
   Languages and Culture", (Ramat-Gan, 1990), pp. 139-156 (V Tableaux).

ARTZI P., "Aššur-uballiṭ I and the Sutians. - A Small Chapter from
the Theme : Prolegomena to Assyrian Empire",
   in : **Scripta Hierosolymitana**, 33/1991, - [= **Ah, Assyria ... - Studies
   in Ancient History and Ancient Near Eastern Historiography
   Presented to Hayim TADMOR**, COGAN M. - EPH'AL I., Eds.,
   (Jerusalem, 1991)], pp. 254-257 - [= **EA 16**].

ARTZI P. - MALAMAT A., " 'The Great King'. - A Preeminent Royal Title
in Cuneiform Sources and the Bible",
   in : **The Tablet and the Scroll. - Near Eastern Studies in Honor of
   William W. HALLO**, COHEN M.E. - SNELL D.C. - WEISBERG D.B.,
   Eds., (Bethesda/Maryland, 1993), pp. 28-38 (dont "Table 2.5.1" = p. 32) :
   - [**EA** = § 2.5 - "The Transformation of the Title 'Great King' in 'The
   (Extended) Age' of the Amarna Archive" = pp. 31/B-36/A (& p. 29/A)].
   - [Ed. : C.D.L. Press] -

ARTZI P., "**EA 43**, An (Almost) Forgotten Amarna Letter",
   in : **kinattutu sa darâti. - Raphael KUTSCHER Memorial Volume**,
   RAINEY A.F., Ed., in coll. : "Tel Aviv - Occasional Publications", Vol. 1,
   (Tel Aviv, 1993), pp. 7-10, & Pl. I.
   - [Ed. : Tel Aviv University - Institute of Archaeology] -

ARTZI P., "A Further Royal Campaign to the Mediterranean Sea ?
   - Reedition and Interpretation of **EA 340**" [Hebr.],
   in : **Avraham MALAMAT Volume**, in coll. : **Eretz-Israel**, Vol. 24,
   (Jerusalem, 1993), pp. 23-30, - [& "English Summaries"
   (of the Hebrew Section) = pp. 231*-241* (= p. 232*)].

ARTZI P., "Notes brèves" - § 37 : "**EA 358**",
   in : **N.A.B.U. - Nouvelles Assyriologiques Brèves et Utilitaires**,
   1993/ § 37, [= N° 2 - Juin], p. 29 :
   - [= "Correction" à : ARTZI P. (1982), p. 318 :
   - cf. - <u>supra</u> - / = **XXV° R.A.I. - Berlin 1978**].

ARTZY M. - PERLMAN I. - ASARO F., "Alašiya of the Amarna Letters",
in : **Journal of Near Eastern Studies**, 35/1976, pp. 171-182
(4 Figs. et 4 Tableaux).

ASARO F. / Cf. ARTZY M. - PERLMAN I. - etc. (1976).

ASTOUR M.C., "The Amarna Age Forerunners of Biblical Anti-Royalism",
in : **For Max WEINREICH in his Seventieth Birthday. - Studies in
Jewish Languages, Literature, and Society**, (La Haye, 1964), pp. 6-17.

ASTOUR M.C., "Second Millennium B.C. Cypriot and Cretan Onomastica
Reconsidered",
in : **Journal of the American Oriental Society**, 84/1964, pp. 240-254 :
- [**EA** = pp. 242-252].

ASTOUR M.C., **Hellenosemitica. - An Ethnic and Cultural Study in
West Semitic Impact on Mycenaean Greece**, (Leiden, 1965),
xix + 415 pp. (et 2 Cartes) :
- [**EA** = pp. 4-6; 25; 32-35; 42-46; 227; 245; 344 et 359] :

    C.R. : BOARDMAN J., in : **C.I.R.**, (N.S.) 16/1966, pp. 86-88;
        B[RUCE] F.F., in : **B.L.O.T.**, 1966, p. 56;
        CAMPBELL A.F., in: **Abr-Nahrain**, 6/1965-66, pp. 92-97;
        DUKE T.T., in : **Class.J.**, 61/1965, pp. 131-136;
        FOHRER G., in : **Z.A.W.**, 78/1966, pp. 111-112;
        McGREGOR M.F., in : **A.H.R.**, 71/1966, pp. 521-522;
        MUHLY J.D., in : **J.A.O.S.**, 85/1965, pp. 585-588;
        RUIGH C.J., in : **Tijds. v. Geschiedenis**, 80/1967, pp. 80-83;
        VIAN Fr., in : **R.E.A.**, 67/1965, pp. 481-484;
        WOOD H., in : **Cathol.World**, 59/1966, [N° 1302], pp. 157-158.

ASTOUR M.C., "The Partition of the Confederacy of Mukiš-Nuḫašše-Nii
by Šuppiluliuma. - A Study in Political Geography of the Amarna Age",
in : **Orientalia**, 38/1969, pp. 381-414, et Planche 51 (Carte).

ASTOUR M.C., "The Merchant Class of Ugarit",
in : **Abhandlungen der Bayerischen Akademie der Wissenschaften
- Philos.-Historische Klasse**, Fasc. 75, (München, 1972), pp. 11-26 :
- [**EA** = pp. 23-24].

ASTOUR M.C., "Ḫattušiliš, Ḫalab, and Ḫanigalbat"
in : **Journal of Near Eastern Studies**, 31/1972, pp. 102-109 :
- [**EA** = pp. 103 (nn. 14-16) et 105 (n. 33)].

ASTOUR M.C., Art. : "Habiru / Hapiru",
in : **The Interpreter's Dictionary of the Bible. - An Illustrated
Encyclopedia**, Supplementary Volume, (Nashville, 1976), pp. 382-385 :
- [§ f.) - "Amarna Letters" = p. 383].

ASTOUR M.C., "Yahweh in Egyptian Topographic Lists",
   in : **Ägypten und Altes Testament. - Festschrift E. EDEL**, GÖRG M.,
   Ed., in coll. : "Studien zu Geschichte, Kultur und Religion Ägyptens und des
   Alten Testaments", Vol. 1,(Bamberg, 1979), pp. 17-33 :
   - [**EA** = pp. 22-23 et p. 29].

AVETISJAN H., "Les relations politico-militaires entre Mitanni et l'état hittite
   au milieu du XIV° siècle av. n.è." [en Russe - "Résumé" en Arménien],
   in : **Vestnik Obshchestvennykh Nauk** (Arménie), 9/1977, pp. 104-110.
   - [**V.O.N.A.** = "Courrier des Sciences Sociales" (Arménie)].

BARKER K.L., **A Comparative Lexical and Grammatical Study of the
   Amarna Canaanisms and Canaanite Vocabulary**,
   - Unpubl. Ph.D. Diss. - The Dropsie College for Hebrew
   and Cognate Learning, (Philadelphia, 1969), iv + 173 pp.

BARNETT R.D., "The 'Amarna Letters' and the Cities of Canaan",
   in : **Illustrations of Old Testament History**, (London, 1966), 91 pp. :
   - [**EA** = Chap. 2 / pp. 12-15 (Figs. 2-3), et p. 87 (Bibliographie)].

BARRÉ M.L., "A Cuneiform Parallel to Ps. 86: 16-17 and Mic. 7: 16-17",
   in : **Journal of Biblical Literature**, 101/1982, pp. 271-275.

BAUER H. - LEANDER P.L., **Historische Grammatik der Hebräischen
   Sprache des Alten Testamentes**, - Vol. I : **Einleitung : Schriftlehre,
   Laut- und Formenlehre**, (Halle, 1922), xvi + 707 pp.,
   & **Anhang**, 91 + xii + vi pp.;
   -- rééd. anastatique : (Hildesheim, 1962), xvi + 707 pp. :
   - [**EA** : cf. "Register" = pp. 655-707: - IV. - "Sachregister" = pp. 702-707 :
   = p. 702/A : - "Amarna-Briefe" = pp. 14;19-24; 195/c'; 202/k; 204/x; 213/q;
   229/l'; 310 (n. 1); 330 (n. 1); 392/x; 420 (n. 1); 523/d].

BECKMAN G., "Mesopotamians and Mesopotamian Learning at Ḫattuša",
   in : **Journal of Cuneiform Studies**, 35/1983, pp. 97-114 (4 Figs.) :
   - [**EA** = pp. 100 (n. 13); 112 (n.71); 113/ §§ 2-3 (nn. 74-76)].

BEN-ḤAYYIM Z., **Šeqiê hak-k'na'anît b'-miktabê tel 'el-ᶜAmārnā**
   - [= **Eléments cananéens dans les lettres d'El-Amarna**],
   (Jerusalem, s.d. [1965]), 23 pp. [en Hébreu].

BENTLEY J., "Amenophis III and Akhenaten : Co-Regency Proved ?",
   in : **The Journal of Egyptian Archaeology**, 66/1980, pp. 164-165.

BERNHARDT K.-H., "Verwaltungspraxis im spätbronzezeitlichen Palästina",
   in : **Beiträge zur sozialen Struktur des Alten Vorderasien**,
   KLENGEL H., Ed., in coll. : "Schriften zur Geschichte und Kultur
   des Alten Orients", Vol. 1, (Berlin, 1971), pp. 133-147.

BIENKOWSKI P., "The Role of Hazor in the Late Bronze Age",
  in : **The Palestine Exploration Quarterly**, 119/1987, pp. 50-61 :
  - [**EA** : "Historical and Literary Aspects" = pp. 54-58 :
  - § 1. - "**EA 227** and **228**" = p. 55;
  - § 2. - "The Significance of <u>mar šipri</u>" = pp. 55-57;
  - § 3. - "**EA 148** and **364**" = pp. 57-58].

BIENKOWSKI P., "Prosperity and Decline in LBA Canaan : A Reply to
  LIEBOWITZ and KNAPP",
  in : **Bulletin of the American Schools of Oriental Research**,
  275/1989 (Aug.), pp. 59-62; - & "Rejoinders" = pp. 63-68 :
  - [Cp. KNAPP A.B., in : **B.A.S.O.R.**, 266/1987 (May), pp. 1-30,
  & LIEBOWITZ H., - <u>ibidem</u> -, 265/1987 (Febr.), pp. 3-24 (16 Figs.)].

BING J.D., "Adapa and Immortality" [= **EA 356**],
  in : **Ugarit-Forschungen**, 16/1984, pp. 53-56.

BING J.D., "Adapa and Humanity : Mortal or Evil ?",
  in : **The Journal of the Ancient Near Eastern Society**, 18/1986, pp. 1-2 :
  - [= **EA 356**, ll. 57-58] :

  C.R. : W[ALDMAN] N.M., in : **Rel.&Theol.Abs.**, 32/1989, N° 2380.

BOESE J., "Burnaburiaš II., Melišipak und die mittelbabylonische
  Chronologie",
  in : **Ugarit-Forschungen**, 14/1982, pp. 15-26.

BÖHL F.M.Th. [DE LIAGRE], "Hymnisches und Rhythmisches in den
  Amarnabriefen aus Kanaan" [= 1914 - Cf.],
  = in : **Opera Minora. - Studies en Bijdragen op Assyriologisch
  en Oudtestamentisch Terrein**, (Groningen - Djakarta, 1953),
  (= Kap. XXII) : pp. 375-379, et pp. 516-517 (Notes).

BÖHL F.M.Th. [DE LIAGRE], "Die Mythe vom weisen Adapa",
  in : **Die Welt des Orients**, 2/1954-1959, pp. 416-431 & Planche 12 :
  - [**EA** (N° **356**) = pp. 417-426].

BÖHL F.M.Th. DE LIAGRE, "Bijbelse en babylonische Dichtkunst.
  - Een metrisch Onderzoek",
  in : **Jaarbericht ... Ex Oriente Lux**, 15/1957-1959, pp. 133-159 :
  - [**EA 356** = pp. 149-150].

BÖHL F.M.Th. [DE LIAGRE], "Der Keilschriftbrief aus Sichem
  (Tell Balâṭa)",
  in : **Baghdader Mitteilungen**, - [= A. **MOORTGAT** .... gewidmet],
  7/1974, pp. 21-30 (1 Fig.).

BORGER R., "Das Problem der '<u>apiru</u> ("<u>Habiru</u>") ",
  in : **Zeitschrift des Deutschen Palästina-Vereins**, 74/1958, pp. 121-132.

BORGER R., apud GALLING K. [Ed.], **Textbuch zur Geschichte Israels**,
2° éd. revue et compl., (Tübingen, 1968), 109 pp. (et 1 Carte) :
- [**EA** : §§ 7 - 10 = pp. 24-28].

BOTTÉRO J., **Le problème des Ḫabiru à la 4ème Rencontre Assyriologique Internationale** - [Paris, 29 Juin - 1° Juillet 1953], in coll. :
"Cahiers de la Société Asiatique", Vol. XII, (Paris, 1954), XXXVII
+ 205 pp. : - [**EA** = pp. 85-118] :

C.R. : FOLLET R., in : **Bi.Or.**, 12/1955, pp. 182-185.

BOTTÉRO J., Art. : "Ḫabiru",
in : **Reallexikon der Assyriologie**, Vol. IV, [Fasc. 1], (Berlin, 1972),
pp. 14-27 : - [pp. 15-21 : Tableau].

BOTTÉRO J. - KRAMER S.N., **Lorsque les dieux faisaient l'homme.
- Mythologie mésopotamienne**, in coll. : "Bibliothèque des histoires",
(Paris, 1989), 755 pp. :
- [Chap. XI : "De quelques divinités secondes" = pp. 430-469:
- § 26 : "Nergal et Ereškigal (**A** et **B**") = pp. 437-464 :
- Texte **A** [= **EA 357**] : § 26/7 = pp. 437-441; § 26/10-11 = pp. 455-458].

BRINKMAN J.A.., Art. : "Kadašman-Enlil",
in : **Reallexikon der Assyriologie**, Vol. V, (Berlin - New York,
1976-1980), p. 285 : - ["Kadašman-Enlil I" = **EA 1-3** (4-5 ?)].

BRIQUEL-CHATONNET F., **Les relations entre les cités de la côte
phénicienne et les royaumes d'Israël et de Juda**, in coll. : "Studia
Phoenicia", Tome XII = coll. : "Orientalia Lovaniensia Analecta", Vol. 46,
(Leuven, 1992), XVIII + 446 pp. - [Ed. : Dept. Oriëntalistiek / Peeters] :
- [I° Partie / Chap. I : "Hiram et le royaume d'Israël" = pp. 25-58 :
- **EA** = pp. 33 (nn. 37-38); 39 (n. 65); 40 (n. 71); 45 (n. 99);
- II° Partie / Chap. VI : "Les échanges commerciaux" = pp. 229-270 :
- **EA** = p. 256 (n. 158) - & p. 282 (nn. 33-35)].

BROCK N. VAN, "Substitution rituelle",
in : **Revue Hittite et Asianique**, 17/1959, [Fasc. 65], pp. 117-146 :
- [**EA** = pp. 132-139, et p. 145 (Notes)].

BROVENDER Ch., Art. : "Hebrew Language : - Pre-Biblical",
in : **Encyclopaedia Judaica**, Vol. 16 [Supplementary Entries],
(Jerusalem, 1971), col. 1560-1568.

BROWN M.L., " 'Is it not ?' or 'Indeed !' : HL in Northwest Semitic",
in : **Maarav**, 4/1987, pp. 201-219 :
- [**EA** : § (2.). - "El Amarna allū" = pp. 207-211].

BRUCE F.F., "Tell el-Amarna",
   in : **Archaeology and Old Testament Study. - Jubilee Volume of the Society for Old Testament Study, 1917 - 1967**, THOMAS D.W., Ed., (Oxford, 1967), pp. 3-20.

BRUNNER H., Art. "Amarna",
   in : **Die Religion in Geschichte und Gegenwart**, GALLING K., Ed., 3° éd. rev., Vol. I, (Tübingen, 1957), col. 304-305.

BUCCELLATI G., "Due Note ai Testi Accadici di Ugarit",
   in : **Oriens Antiquus**, 2/1963, pp. 223-228.

BUCCELLATI G., **Cities and Nations of Ancient Syria. - An Essay on Political Institutions, with Special Reference to the Israelite Kingdoms**, in coll. : "Studi Semitici", Vol. 26, (Rome, 1967), 264 pp. :
   - [**EA** = Chap. I : "The Territorial State" - pp. 25-74] :

   C.R. : ASTOUR M.C., in : **J.N.E.S.**, 29/1970, pp. 294-296;
            BARAMKI D.C., in : **Bi.Or.**, 26/1969, pp. 226-227;
            BERNHARDT K.-H., in : **M.I.O.**, 16/1970, pp. 144-145;
            BIROT M., in : **R.A.**, 67/1973, pp. 179-180;
            DELCOR M., in : **Bull.Litt.Eccl.**, 70/1969, pp. 287-288;
            HOLMES Y.L., in : **J.A.O.S.**, 91/1971, pp. 301-302;
            MORETTI P., in : **A.I.U.O.N.**, 19/1969, pp. 124-126;
            OLIVERIUS J., in : **Ar.Or.**, 41/1973, p. 84;
            R[INALDI] G., in : **B.e.O.**, 11/1969, p. 39;
            WEIPPERT H., in : **Z.D.P.V.**, 89/1973, pp. 84-96;
            W[HYBRAY] R.N., in : **B.L.O.T.**, 1970, pp. 65-66.

BUCCELLATI G., "Adapa, Genesis, and the Notion of Faith",
   in : **Ugarit-Forschungen**, 5/1973, pp. 61-66 : - [= **EA 356**].

BUCCELLATI G., "Comparative Graphemic Analysis of Old Babylonian and Western Akkadian",
   in : **Ugarit-Forschungen**, 11/1979, pp. 89-100 (6 Tableaux
   - et : Appendix 1 : "Inventory Overlay" = pp. 97-100).

BUNNENS G., "A propos de l'épithète royale šarru dannu (Idrimi, 43 et 51; **EA, 126**, 66)",
   in : **Annuaire de l'Institut de Philologie et d'Histoire Orientales et Slaves**, 20/1968-1972, pp. 145-154.

BUNNENS G., "Commerce et diplomatie phéniciens au temps de Hiram Ier, roi de Tyr",
   in : **Journal of the Economic and Social History of the Orient**, 19/1976, pp. 1-31 :
   - [**EA** = pp. 11; 15-16; 18; 20 & 30].

BUNNENS G., "Pouvoirs locaux et pouvoirs dissidents en Syrie au IIème millénaire avant notre ère",
in : **Pouvoirs locaux en Mésopotamie et dans les régions adjacentes** - [= Actes du Colloque organisé par l'Institut des Hautes Etudes de Belgique, Bruxelles, 28 - 29 Janvier 1980], FINET A., Ed., (Bruxelles, 1982), pp. 118-137 :
- [**EA** = pp. 129; 135-136].

BURGSTAHLER A.W., "The El-Amarna Letters and the Ancient Records of Assyria and Babylonia",
in : **Pensée**, 3/1973, [Fasc. 3], pp. 13-15.

BUSH F.W., **A Grammar of the Hurrian Language**, - [= **EA 24**] -
- Unpubl. Ph.D. Diss. - Brandeis University, 1964, xxii + 424 pp.

BUSH F.W., "The Relationship between the Hurrian Suffixes -ne/-na and -nni/e / -nna",
in : **Orient and Occident. - Essays Presented to C.H. GORDON on the Occasion of his Sixty-fifth Birthday**, HOFFNER H.A., Ed., in coll. : "Alter Orient und Altes Testament", Vol. 22, (Kevelaer - Neukirchen/Vluyn, 1973), pp. 39-52.

CAMPBELL E.F., "The Amarna Letters and the Amarna Period",
in : **The Biblical Archaeologist**, 23/1960 (Febr.), pp. 2-22 (6 Figs.).

CAMPBELL E.F., **The Chronology of the Amarna Letters, with Special Reference to the Hypothetical Coregency of Amenophis III and Akhenaton**, (Baltimore, 1964), ix + 163 pp. :

   C.R. : ALBRIGHT W.F., in : **B.A.S.O.R.**, 185/1967, p. 63;
        CAZELLES H., in : **V.T.**, 15/1965, pp. 537-539;
        C[OUROYER] B., in : **R.B.**, 72/1965, pp. 145-146;
        F[OHRER] G., in : **Z.A.W.**, 76/1964, pp. 361-362;
        HELCK W., in : **O.L.Z.**, 60/1965, col. 559-563;
        HIRSCH H., in : **W.Z.K.M.**, 61/1967, pp. 171-172;
        HORNUNG E., in : **Z.D.P.V.**, 81/1965, pp. 189-190;
        HOUWINK TEN CATE Ph.H., in : **Bi.Or.**, 22/1965, pp. 152-153;
        KITCHEN K.A., in : **J.E.A.**, 53/1967, pp. 178-182;
        LAMBERT M., in : **R.A.**, 59/1965, pp. 137-138;
        NORTH R., in : **Or.**, 36/1967, pp. 372-373;
        SCHULMAN A.R., in : **A.J.A.**, 69/1965, pp. 373-374;
        SOGGIN J.A., in : **R.S.O.**, 42/1967, pp. 54-55.

CAMPBELL E.F., "Shechem in the Amarna Archive" ["Appendix 2"],
in : WRIGHT G.E., **Shechem. - The Biography of a Biblical City**, (London, 1965), pp. 191-207.

CAMPBELL E.F., "Two Cuneiform Tablets from Shechem" ["Appendix 3"],
in : WRIGHT G.E., **Shechem. - The Biography of a Biblical City**,
(London, 1965), pp. 208-213.

CAMPBELL E.F., "Two Amarna Notes : The Shechem City-State
and Amarna Administrative Terminology",
in : **Magnalia Dei. - The Mighty Acts of God : Essays on the Bible
and Archeology in Memory of G.E. WRIGHT**, CROSS F.M. -
LEMKE W.E. - MILLER P.D., Eds., (Garden City, N.Y., 1977), pp. 39-54.

CATHCART K.J., **Nahum in the Light of Northwest Semitic**, in coll. :
"Biblica et Orientalia", Vol. 26, (Rome, 1973), 171 pp. :
- [**EA** = pp. 51-52; 56; 102, 133; 140].

CAVAIGNAC E., "La lettre **101** de Tell el-Amarna",
in : **Journal Asiatique**, 243/1955, pp. 135-138.

CAVAIGNAC E., "L'Egypte et les Hittites de 1370 à 1345",
in : **Syria**, 33/1956, pp. 42-48 : - [**EA** = pp. 43-47].

CAZELLES H., "La 'Lettre du général' (Ugaritica V), les enseignes
et la bataille de Kadseh",
in : **Mélanges de l'Université Saint-Joseph** (Beyrouth),
- [= **Mélanges Maurice DUNAND**], 46/1970, pp. 33-50.

CAZELLES H., **Autour de l'Exode**, in coll. : "Sources Bibliques",
(Paris, 1987), 438 pp. :
- [**EA** = pp. 70; 77; 82-83; 93; 107-109; 118; 236-237; 253; 360;
- Cf. "Index" = p. 432/A].

CHANEY M.L., "Ancient Palestinian Peasant Movements and the Formation
of Premonarchic Israel",
in : **Palestine in Transition. - The Emergence of Ancient Israel**,
FREEDMAN D.N. - GRAF D.F., Eds., in coll. : "The Social World of
Biblical Antiquity Series", Vol. 2, (Sheffield, 1983), pp. 39-90 :
- / Cf. FREEDMAN - GRAF (1983) :
- [**EA** = pp. 54-55, & "Excursus : The ʿApiru and Social Unrest
in the Amarna Letters from Syro-Palestine" = pp. 72-83].

CHIRICHIGNO G.C., **Debt-Slavery in Israel and the Ancient Near East**,
in coll. : "Journal for the Study of the Old Testament. - Supplement Series",
Vol. 141, (Sheffield, 1993), 409 pp. - [Ed. : Sheffield Academic Press] - :
- [**EA** = pp. 131; 200-205; 211; 214. - "Index" = p. 404].

COCHAVI-RAINEY Z., **The Egyptian Letters of the el-Amarna Archive**
[en Hébreu],
- Unpubl. M.A. Thesis, Tel-Aviv University, (Tel-Aviv, 1982).

COCHAVI-RAINEY Z., **The Akkadian Dialects of the Egyptian Scribes in the 14th and 13th Centuries B.C.E. - Linguistic Analysis**,
- [en Hébreu], - Unpubl. Ph.D. Diss., Tel Aviv University - 1988, pp.

COCHAVI-RAINEY Z., "Canaanite Influence in the Akkkadian Texts Written by Egyptian Scribes in the 14th and 13th Centuries B.C.E.",
in : **Ugarit-Forschungen**, 21/1989, pp. 39-46.

COCHAVI-RAINEY Z., "Egyptian Influence in the Akkadian Texts Written by Egyptian Scribes in the Fourteenth and Thirteenth Centuries B.C.E.",
in : **Journal of Near Eastern Studies**, 49/1990, pp. 57-65.

COCHAVI-RAINEY Z., "Tenses and Modes in Cuneiform Texts Written by Egyptian Scribes in the Late Bronze Age",
in : **Ugarit-Forschungen**, 22/1990, pp. 5-23.

(Collectif), **Bar-Ilan Studies in Assyriology Dedicated to Pinhas ARTZI**,
KLEIN J. - SKAIST A., Eds., in coll. : "Bar-Ilan Studies in Near Eastern Languages and Culture", (Ramat-Gan, 1990), 294 pp. et XVI Planches.
- [Ed. : Bar-Ilan University Press] -

(Collectif), **Tell el-Amarna, 1887 - 1987.** - [= **Amarna Symposium - Chicago 1987. - Symposium Held at the Oriental Institute, Chicago, 7th Nov. 1987**, BEITZEL B.J. - YOUNG G.D., Eds.,
(Winona Lake/Ind., 199_), < Forthcoming >. - [Ed. : Eisenbrauns] -
/ [Materials issued to Participants in the ...].

COLLON D., **First Impressions : Cylinder Seals in the Ancient Near East**,
(London, 1987), 208 pp. (966 Figs.) : - [Ed. : British Museum Press] -
- [**EA** = Chap. 5 : "Period V : International Exchanges, 1500 - 1000 B.C."
= pp. 58-74: - § b) "Mitanni" = pp. 61/b-65/b; & pp. 5/b; 70/a; 73/a; 135/a;
- & "Index" = pp. 206-208 (= p. 206/a)].

COLOMBOT D., "Notes brèves" : § 135) "La prétendue glose Meluhha-Kaši dans **EA 133 : 17**",
in : **N.A.B.U.** [= **Nouvelles Assyriologiques Brèves et Utilitaires**],
1990/ § 135, [= N° 4 - Déc.], pp. 110-111 [1 Copie].

CROWN A.D., "Tidings and Intsructions : How News Travelled in the Ancient Near East",
in : **Journal of the Economic and Social History of the Orient**,
17/1974, pp. 244-271.

CROWN A.D., "Messengers and Scribes : The S-P -R and M-L-'-K in the Old Testament",
in : **Vetus Testamentum**, 24/1974, pp. 366-370 :
- [**EA** = pp. 366-367; 369].

CUTLER B. - MACDONALD J., "An Akkadian Cognate to Ugaritic brlt",
in : **Ugarit-Forschungen**, 5/1973, pp. 67-70 :
- [**EA** = § II/b - p. 69 (nn. 2-4)].

DEGEN R., "Zur Schreibung des Kaška-Namens in ägyptischen, ugaritischen
und altaramäischen Quellen. - Kritische Anmerkungen zu einer
Monographie über die Kaškäer",
in : **Die Welt des Orients**, 4/1967-1968, pp. 48-60 :
- [= CR de / Cf. : SCHULER (1965)].

DEMSKY A., "The Education of Canaanite Scribes in the Mesopotamian
Cuneiform Tradition",
in : **Bar-Ilan Studies in Assyriology - Dedicated to Prof. P. ARTZI**,
KLEIN J. - SKAIST A., Eds., in coll. : "Bar-Ilan Studies in Near Eastern
Languages and Culture", (Jerusalem, 1990), pp. 157-170.

DHORME E. [P.], "La langue de Canaan" [= **R.B.** 1913 - Cf.],
in : **Recueil Edouard DHORME. - Etudes Bibliques et Orientales**,
[Abrév. : **R.E.D.**], (Paris 1951), pp. 405-487 (& p. 766 : Notes).

DHORME E. [P.], "Les nouvelles tablettes d'El-Amarna"
[= **R.B.** 1924 - Cf. /],
in : **Recueil Edouard DHORME. - Etudes Bibliques et Orientales**,
[Abrév. : **R.E.D.**], (Paris 1951), pp. 489-519 (& p. 766 : Notes).

DHORME E. [P.], "Les Amorrhéens : à propos d'un livre récent",
[= **R.B.** 1928, 1930 & 1931 - Cf. /],
in : **Recueil Edouard DHORME**, (Paris, 1951), pp. 81-165
(et pp. 759-762 : Notes) :
- [**EA** = Chap. VI. - "Amourrou au temps des lettres d'El-Amarna"
= pp. 128-140, et pp. 759 et 761-762 (Notes)].

DHORME E., "Les Habirou et les Hébreux",
in : **Revue Historique**, 211/1954, pp. 256-264.

DIAKONOFF I.M., **Hurrisch und Urartäisch**, [traduit du Russe, par
SDREMBEK K.], in coll. : "Münchener Studien zur Sprachwissenschaft",
Neue Folge, Beiheft 6, (München, 1971), viii + 175 pp. :
- [= **EA 24** (Mitt.) = pp. 73; 74 (n. 73); 87-88; 94; 123 (n. 145); 130-132;
137-138].

DIEM W., "Das Problem von -ś- im Althebräischen und die kanaanäische
Lautverschiebung",
in : **Zeitschrift der Deutschen Morgenländischen Gesellschaft**,
124/1974, pp. 221-252 :
- [**EA** = §§ 15-16 / pp. 238-242 :
- § 15 : "Amarnabriefe" = pp. 238-240;
- et § 16 : "Diskussion der Schreibungen" = pp. 240-242].

DIETRICH M. - LORETZ O., "Der Amarna Brief VAB* 2, **170**",
   in : **Beiträge zur Alten Geschichte und deren Nachleben. -
   Festschrift für Franz ALTHEIM ...**, STIEHL R. - STIER H.E., Eds.,
   Vol. I, (Berlin, 1969), pp. 14-23.

DIETRICH M. - LORETZ O., "Historisch-chronologische Texte aus Alalah,
   Ugarit, Kamid el-Loz/Kumidi und den Amarna-Briefen",
   in : **Rechts- und Wirtschaftsurkunden. - Historisch - chronologische
   Texte, [II]**, in coll. : "Texte aus der Umwelt des Alten Testaments",
   Vol. 1/5, (Gütersloh, 1985), pp. 496-520 :
   - ["Aus den Tell el-Amarna-Briefen" (Nr. 1-5) = pp. 512-520:
   - **EA 286** = pp. 512-514; - **EA 289** = pp. 514-516;
   - **EA 292** = pp. 516-517; - **EA 17** = pp. 517-519;
   - **EA 30** = pp. 519-520; - "Brief des Pharaos ... (Kamid el-Loz 69:277
   = **EA HC KMD 1**) = pp. 511-512].

DIETRICH M. - MAYER M., "Beiträge zum Hurritischen (I) : Einzelfragen
   zu Grammatik und Lexikon des Mitanni-Briefs",
   in : **Ugarit-Forschungen**, 23/1991, pp. 107-126 : - [= **EA 24** (= Mit.)].

DIETRICH M. - MAYER M., "Die Konjuktive im Mitanni-Hurritischen.
   - Beiträge zum Hurritischen (II) : Einzelfragen zu Grammatik
   und Lexikon des Mitanni-Briefs",
   in : **Ugarit-Forschungen**, 24/1992, pp. 39-58 : - [= **EA 24** (= Mit.)].

DIETRICH M., "Babylonian Literary Texts from Western Libraries",
   in : **Verse in Ancient Near Eastern Prose**, MOOR J.C. DE - WATSON
   W.G.E., Eds., in coll. : "Alter Orient und Altes Testament", Vol. 42,
   (Kevelaer - Neukirchen/Vluyn, 1993), pp. 41-67 :
   - [**EA** = § 2. - "The Myth of Adapa from Amarna (**EA 356**)"
   = pp. 42-48; & "Index" = p. 372].

DOBEL A. - LIERE W.J. VAN - MAHMUD A., "The Waššukanni Project
   of the University of California - Berkeley",
   in : **Archiv für Orientforschung** - [= **E. WEIDNER - Gedenkband**],
   25/1974-1977, pp. 259-264 (2 Cartes).

DOBEL A. - ASARO F. - MICHEL H.V., "Neutron Activation Analysis
   and the Location of Waššukanni",
   in : **Orientalia**, 46/1977, pp. 375-382 (5 Tableaux).

DOBEL A., **The Location of Waššukanni : An Analysis of Archaeological
   and Textual Source Materials**,
   - Unpubl. Ph.D. Diss., University of California - Berkeley, 1978, pp.

DONNER H., "The Blessing of Issachar (Gen. 49: 14-15) as a Source
for the Early History of Israel",
in : (Collectif), **Le Origini di Israele. - [Convegno sul Tema : ... :
(Roma, 10-11 Febbraio 1986)**, (Roma, 1987), pp. 53-63 :
- [**EA** : § II. = pp. 59-62 / **EA 365**].

DOSSIN G., "Kengen, pays de Canaan",
in : **Rivista degli Studi Orientali**, 32/1957, pp. 35-39;

= in : **Recueil Georges DOSSIN. - Mélanges d'Assyriologie
(1934 - 1959)**, in coll. : "Akkadica - Supplementum", Vol. I,
(Bruxelles - Louvain, 1983), pp. 85-89 : - [**EA** = pp. 88-89].

DRENKHAHN R., "Ausländer (Hethiter und Marijannu ?) in Amarna",
in : **Mitteilungen des Deutschen Archäologischen Instituts in Kairo**,
22/1967, pp. 60-63 (2 Figs.).

DROWER M.S., "Syria c. 1550 - 1400 B.C.",
in : **The Cambridge Ancient History**, 3° éd. [= **C.A..H., 3**],
Vol. II, Part 1, (Cambridge, 1973), xxiii + 868 pp. :
- [Chap. X = pp. 417-525 et 777-798 (Bibliographie) :
- **EA** - § VI.- "The Amarna Age" = pp. 483-493 & pp. 787-789]:

C.R. [= Ed. provisoire par fascicules] = Fasc. N° 64 (1970), 65 pp. :
GUNDEL H.G., in : **Gymnasium**, 79/1972, pp. 132-134;
HOZ J. DE, in : **Emerita**, 41/1973, pp. 280-282;
KLENGEL H., in : **O.L.Z.**, 71/1976, col. 141-142;
ROBERTS J.J.M., in : **J.A.R.C.E.**, 9/1971-72, pp. 141-142;
SAGGS H.W.F., in : **J.H.S.**, 91/1971, p. 189;
ZACCAGNINI C., in : **Or.Ant.**, 11/1972, pp. 324-328.

DROWER M.S., "Ugarit",
in : **The Cambridge Ancient History**, 3° éd. [= **C.A..H., 3**],
Vol. II, Part 2, (Cambridge, 1975), xxiii + 1128 pp. :
- [Chap. XXI/b = pp. 130-160 et 932-938 (Bibliographie)]:

C.R. [= Ed. provisoire par fascicules] = Fasc. N° 63 (1968), 37 pp. :
FRIESINGER H., in : **M.A.G.W.**, 101/1971, p. 117;
GUNDEL H.G., in : **Gymnasium**, 79/1972, pp. 132-134.

DUNHAM S., "The Monkey in the Middle",
in : **Zeitschrift für Assyriologie**, 75/1985, pp. 234-269
[dont Figs. 1-12 (= pp. 265-269)] : - [**EA** = § 27 - p. 258].

DURAND J.-M., "L'assemblée en Syrie à l'époque pré-amorite",
in : **Miscellanea Eblaitica, 2**, FRONZAROLI P., Ed., in coll. :
"Quaderni di Semitistica", Vol. 16, (Firenze, 1989), pp. 27-44 :
- [**EA** = "Annexe 1 : **EA 252**" = pp. 41-42].

EATON-KRAUSS M., "Akhenaton versus Akhenaton",
   in : **Bibliotheca Orientalis**, 47/1990, col. 541-559 :
   - [Cf. / = C.R. de ALDRED C. (1988) & de REDFORD D.B. (1984);
   - **EA** = col. 544-545 (nn. 18-23)].

EDEL E., "Weitere Briefe aus der Heiratskorrespondenz Ramses' II.:
   KUB III 37 + KBo I 17 und KUB III 57",
   in : **Geschichte und Altes Testament. - Festschrift Albrecht ALT**,
   in coll. : "Beiträge zur Historischen Theologie", Vol. 16, (Tübingen, 1953),
   pp. 29-63.

EDEL E., **Die Ortsnamenlisten aus dem Totentempel Amenophis III.**,
   in coll. : "Bonner Biblische Beiträge", Vol. 25, (Bonn, 1966), xv + 101 pp.,
   et 1 Tableau : - [**EA** = pp. 98-99] :

   C.R. : ALBRIGHT W.F., in : **B.A.S.O.R.**, 185/1967, p. 63;
           BECKERATH J., in : **O.L.Z.**, 64/1969, col. 330-334;
           HELCK W., in : **G.G.A.**, 221/1969, pp. 72-86;
           KITCHEN K.A., in : **Bi.Or.**, 26/1969, pp. 198-202.

EDEL E., "Zur Deutung des Keilschriftvokabulars **EA 368**
   mit ägyptischen Wörtern",
   in : **Göttinger Miszellen**, 15/1975, pp. 11-16.

EDEL E., **Ägyptische Ärzte und ägyptische Medizin am hethitischen
   Königshof. - Neue Funde von Keilschriftbriefen Ramses' II
   aus Boğazköy**, in coll. : "Rheinisch-Westf. Akademie der Wissenschaften.
   - Geisteswissenschaften (Vorträge - G. 205)", (Opladen, 1976), 140 pp.
   et 4 Planches :
   - [**EA** = § A/1 : "Amarna-Archiv und Boğazköy-Archiv" = pp. 11-12;
   & "Indices" / 3 : "Verzeichnis der behandelten keilschriftlichen Textstellen"
   = pp. 137-140 :
   - [**EA** = p. 137 (incomplet !) : + pp. 16 (nn. 18-19); 28 (n. 62); 51-53
   [= **EA 49**], 75, 79-80, 96, 101, 108-109, 118 et 128] :

   C.R.: BECKERATH J. VON, in : **A.f.O.**, 25/1974-77, pp. 209-211.

EDEL E., **Neue Deutungen keilschriftlicher Umschreibungen ägyptischer
   Wörter und Personennamen**, in coll. : "Österreichische Akademie der
   Wissenschaften. - Philos.-Histor. Klasse - Sitzungsberichte", Vol. 375,
   (Wien, 1980), 48 pp. :
   - [**EA** = pp. 8-17; 20; 24; 39] :

   C.R. : VERGOTE J., in : **Bi.Or.**, 40/1983, col. 596-599.

EDEL E., "Zur Deutung der Glosse ma-aḫ-da in dem Amarna-Brief **14**
   (Geschenkliste Amenophis' IV. für den Babylonierkönig Burraburiaš)",
   in : **Studien zur altägyptischen Kultur**, 14/1987, pp. 43-47.

EDEL E., "Weitere Beiträge zum Verständnis der Geschenklisten
des Amarnabriefes Nr. **14**",
in : **Documentum Asiae Minoris Antiquae. - Festschrift für
Heinrich OTTEN ...**, NEU E. - RÜSTER C., Eds., (Wiesbaden,
1988), pp. 99-114 (2 Figs.). - [Ed. : O. Harrassowitz].

EDEL E., "Ägyptische Glossen in den Geschenklisten des Amarnabriefes
Nr. **14**",
in : **Studien zur Altägyptischen Kultur**, 16/1989, pp. 27-38.

EDZARD D.O., "Die Beziehungen Babyloniens und Ägyptens in der
mittelbabylonischen Zeit und das Gold",
in : **Journal of the Economic and Social History of the Orient**,
3/1960, pp. 38-55.

EDZARD D.O., "Die Tontafeln von Kāmid el-Lōz",
in : **Kāmid el-Lōz - Kumidi. - Schriftdokumente aus Kāmid el-Lōz**,
in coll. : "Saarbrücker Beiträge zur Altertumskunde", Vol. 7,
(Bonn, 1970), pp. 55-62, et Figs. 10-14 :

C.R. : GALLING K., in : **O.L.Z.**, 74/1979, col. 37-38.

EDZARD D.O., "Ein Brief an den 'Grossen' von Kumidi aus Kāmid al-Lōz",
in : **Zeitschrift für Assyriologie**, 66/1976, pp. 62-67 (1 Fig.),

= in : **Bericht über die Ergebnisse der Ausgrabungen in Kāmid el-Lōz
in den Jahren 1971 bis 1974**, HACHMANN R., Ed., in coll. :
"Saarbrücker Beiträge zur Altertumskunde", Vol. 32, (Bonn, 1982),
pp. 131-135.

EDZARD D.O., "Ein neues Tontafelfragment (Nr. 7) aus Kāmid al-Lōz",
in : **Zeitschrift für Assyriologie**, 70/1980, pp. 52-54.

EDZARD D.O., "Amarna und die Archive seiner Korrespondenten
zwischen Ugarit und Gaza",
in : **Biblical Archaeology Today. - Proceedings of the International
Congress on Biblical Archaeology, Jerusalem - April 1984**,
(Jerusalem, 1985), pp. 248-259.

EDZARD D.O. - WIGGERMANN F.A.M., Art. : "maškim (rābisu)",
in : **Reallexikon der Assyriologie**, Vol. VII, (Berlin - New York,
1987-1990), pp. 449-455 :
- [**EA** = § 2.5.3 : "In der Amarna-Korrespondenz" = pp. 452/B-453/A].

ENGEL H., "Quellentexte aus dem Amarna-Archiv",
in : **Bibel und Kirche**, 1966, pp. 66-68 :
- [= **EA 388** < sic!? > = pp. 66-67; - **EA 271** = p. 67; - **EA 369** = p. 67;
- **EA 287** = pp. 67-68; - **EA 290** = p. 68, - **EA 298** = p. 68].

EPH'AL I., "^{URU}Ša-za-e-na = ^{URU}Sa-za-na",
   in : **Israel Exploration Archaeology**, 21/1971, pp. 155-157 (1 Carte).

EYRE Chr., "An Egyptianism in the Amarna Letters ?",
   in : **The Journal of Egyptian Archaeology**, 62/1976, pp. 183-184.

FARBER W., "Zu einigen Enklitika im Hurrischen (Pronomen, Kopula,
   syntaktische Partikeln)",
   in : **Orientalia**, (N.S.) 40/1971, pp. 29-66 :
   - [= **EA 24** < = Mit. / = V.S., 12, N° 200 >].

FENSHAM F.Ch., "Father and Son as Terminology for Treaty and Covenant",
   in : **Near Eastern Studies in Honor of William Foxwell ALBRIGHT**,
   GOEDICKE H., Ed., (Baltimore - London, 1971), pp. 121-135 :
   - [**EA** - § III = pp. 126-128].

FINEGAN J., **Light from the Ancient Past. - The Archeological**
   Background of Judaism and Christianity, 3° éd., (Princeton, 1967),
   xxxvii + 638 pp. (204 Figs., 6 Cartes & 4 Plans) :
   - [**EA** = Chap. II. - "The Panorama of Egypt" = pp. 74-134 :
   - § 7 : "The New Kingdom ... c. 1570 - c. 1090 B.C." = pp. 96-122 :
   - § 7/i) - "The Tell el-Amarna Tablets" = pp. 108-113; + "Index" - p. 634/B:
   = Fig. 46, & pp. 69; 118; 135; 146; 164; 171; 201; 297].

FINKEL M., **The Tyre Letters of the El-Amarna Archives. - A Study**
   of Selected Linguistic Aspects,
   - Unpubl. M.A. Thesis, Tel Aviv University - 1977, 128 pp.

FINKELSTEIN J.J., "Three Amarna Notes",
   in : **Eretz-Israel**, 9/1969, - [= **William Foxwell ALBRIGHT Volume**],
   MALAMAT A., Ed., pp. 33-34.

FINLEY Th.J., **Word Order in the Clause Structure of Syrian Akkadian**,
   - Unpubl. Ph.D. Diss., University of California at Los Angeles - Dept. of
   Near Eastern Languages and Cultures, (Los Angeles, 1979), xxiv + 236 pp..
   - Cf. : **Dissertation Abstracts**, 40/1979-80, p. 2033-2O34/A.

FITZGERALD A., "The Mythological Background for the Presentation
   of Jerusalem as a Queen and False Worship as Adultery
   in the O[ld] T[estament]",
   in : **The Catholic Biblical Quarterly**, 34/1972, pp. 403-416 :
   - [**EA** = pp. 407-408].

FREEDMAN D.N. - GRAF D.F., [Eds.], **Palestine in Transition. -**
   The Emergence of Ancient Israel, in coll. : "The Social World of Biblical
   Antiquity Series", Vol. 2, (Sheffield, 1983), ix + 108 pp. (ill.) :

...../...

C.R. : HERRMANN S., in : **O.L.Z.**, 82/1987, col. 360-363;
LYS D., in : **E.Th.R.**, 59/1984, pp. 575-576;
MANTOVANI P.A., in : **Henoch**, 14/1992, pp. 193-194;
WEIPPERT M. & H., in : **Th.R.**, 56/1991, pp. 345-356.

FREU J., "La lettre **EA 116** de Rib Addi, prince de Byblos, au Pharaon
Akhenaton, et les Hittites à El Amarna",
in : **Annales de la Faculté des Lettres et Sciences Humaines de Nice**,
21/1974, - [= **Hommage à Pierre FARGUES**] -, pp. 15-47 :

C.R. : AMIET P., in : **Syria**, 52/1975, pp. 308-309.

FREU J., "LUWIYA. - Géographie historique de l'Empire Hittite :
Kizzuwatna, Arzawa, Lukka, Milawatta",
in : **Document [du] "Centre de Recherches Comparatives sur
les Langues de la Méditerranée Ancienne"**, Université de Nice
- Faculté des Lettres, N° 6, Tome 2, (Nice, 1980), pp. 177-352.

FREU J., "La correspondance d'Abimilki, prince de Tyr,
et la fin de l'ère amarnienne",
in : **Annales de la Faculté des Lettres et Sciences Humaines de Nice**,
50/1985, - [= **Hommage à Jean GRANAROLO. - Philologie,
Littératures et Histoire Anciennes**, BRAUN R., Ed.] -, pp. 23-60 :
- [§ I. - "Tyr à la fin du règne d'Aménophis III (**EA 295** et **EA 89**)"
= pp. 23-29;
- § II. - "La correspondance d'Abimilki" = pp. 29-35;
- § III. - "Les lettres de Tyr et les campagnes syriennes de Suppululiuma"
= pp. 35-49;
- § IV. - "**EA 155**, Mayati et la fin de la XVIII° Dynastie" = pp. 49-54;
- § V. - "La fin de l'ère amarnienne et les Hittites" = pp. 55-59].

FREU J., "Les guerres syriennes de Suppiluliuma et la fin de l'ère amarnienne",
in : **Hethitica**, 11/1992, pp. 39-101.

FRIEDRICH J., **Hethitisches Keilschrift-Lesebuch**. - Teil I : **Lesestücke**,
in coll. : "Indogermanische Bibliothek", 1. Reihe : "Lehr- und Handbücher",
(Heidelberg, 1960), 68 pp. :
- [**EA** - "Lesestücke" : - § 7 : "Briefe" - a) "Der erste Arzawa - Brief"
(= **EA 31**) : < = **V.Bo.T.** 1, 1-29 - copie cunéiforme > = pp. 23-25].

FRIEDRICH J., "Churritisch",
in : **Handbuch der Orientalistik**, - 1. Abteilung, SPULER B., Ed.,
- 2. Band, 1. und 2. Abschnitt, - Lieferung 2 : **Altkleinasiatische
Sprachen**, (Leiden - Köln, 1969), pp. 1-30.

FRIEDRICH J. - RÖLLIG W., **Phönizisch - Punische Grammatik**,
in coll. : "Analecta Orientalia", Vol. 32, 2° éd. remaniée, (Roma, 1970),
xxiii + 188 pp., et 1 Tableau :   .../...

- [1ère éd. (1951) = xxiii + 181 pp., et 1 Tableau] - :
- [**EA** = pp. 11 (n. 2); 12 (n. 1); 17; 23-28; 32 (n. 2); 33-35; 46-49; 53; 57; 60-65; 68; 76-79; 84; 90; 97; 102; 109-112; 128; - <u>sans</u> "Index"].

GALÁN J.M., "**EA 164** and the God Amun",
   in : **Journal of Near Eastern Studies**, 51/1992, pp. 287-291 :

   C.R. : B[ARRÉ] M.L., in : **O.T.Abs.**, 16/1993, p. 208.

GELB I.J., "The Word for Dragoman in the Ancient Near East",
   in : **Glossa**, 2/1968, pp. 93-104 : - [**EA** = p. 98 (nn. 18 - 19)].

GELB I.J., **Hurrians and Subarians**, (Chicago, 1944), xv + 128 pp. :
   - rééd. anastat. : 1973 / Cf. - <u>supra</u> - / [= **EA 24**].

GEORGIOU H., "Relations between Cyprus and the Near East in the
   Middle and Late Bronze Age",
   in : **Levant**, 11/1979, pp. 84-100 (1 Tableau).

GEVIRTZ St., "Evidence and Conjugational Variation in the
   Parallelization of Selfsame Verbs in the Amarna Letters",
   in : **Journal of Near Eastern Studies**, 32/1973, pp. 99-104.

GEVIRTZ St., "On Canaanite Rhetoric. - The Evidence of the Amarna
   Letters from Tyre",
   in : **Orientalia**, (N.S.) 42/1973, pp. 162-177;
   - [= in : **Approaches to the Study of the Ancient Near East.
   - A Volume of Studies Offered to Ignace Jay GELB ...**,
   BUCCELLATI G., Ed., (Rome - Los Angeles, 1973)].

GEVIRTZ St., "Of Syntax and Style in the 'Late Biblical Hebrew'
   - 'Old Canaanite' Connection",
   in : **The Journal of the Ancient Near Eastern Society**,
   18/1986, pp. 25-29.

GIANTO A., **Word Order Variation in the Akkadian of Byblos**,
   in coll. : "Studia Pohl", Vol. 15, (Roma, 1990), ix + 188 pp.
   - [= Ed. de GIANTO [KENTJANAPUTRA] A., **A Study of Word
   Order Variation in the Byblos Amarna Letters**,
   - Ph.D. Diss., Harvard University, May 1987, ix + 184 pp. :
   - Cf. : **Dissertation Abstracts**, 48/1987-1988, p. 2859-A.] :

   C.R. : HEINTZ J.-G., in : **R.H.Ph.R.**, 71/1991, pp. 201-202;
   IZRE'EL Sh., in : **Or.**, 61/1992, pp. 148-151.

GILCHRIST P.R., **A Philological and Critical Commentary of the Amarna Correspondence from Central Palestine (Including Texts and Translations of the Letters of Lab'aya, Milkilu, Zimredda and Shipṭi-Ba'lu)**,
- Unpubl. Ph.D. Diss., The Dropsie College for Hebrew and Cognate Learning, (Philadelphia, 1967), xxiii + 194 pp.

GILES F.J., **The Amarna Period : A Study of the Internal Politics and External Relations of the Late Eighteenth Dynasty of Egypt**,
- [Cf. - _Infra_ -] - Doct. Diss., (University College, London, 1960-1961).

GILES F.J., **Ikhnaton : Legend and History**, (London, 1970),
vii + 255 pp. (9 Figs.), et XVI Planches; - [= Ed. de la Diss. (1960-61)]:
- [**EA** - Part IV = pp. 141-255].

GIRBAL Ch., "Der Paragraph 24 des Mittani-Briefes",
in : **Zeitschrift für Assyriologie**, 78/1988, pp. 122-136 :
- [= **EA 24/III, 49-65** (§ 24) = pp. 123-124: Transcr. / Trad.].

GIRBAL Ch., "Zur Grammatik des Mittani-Hurritischen" - [= **EA 24**] -,
in : **Zeitschrift für Assyriologie**, 80/1990, pp. 93-101 :

GITTLEN B.M., "The Murder of the Merchants Near Akko",
in : **Biblical and Related Studies Presented to Samuel IWRY**,
KORT A. - MORSCHAUSER S., Eds., (Winona Lake/Ind., 1985),
pp. 63-72 (1 Carte) : - [= **EA 8**].

GIVEON R., "Thutmosis IV. and Asia",
in : **Journal of Near Eastern Studies**, 28/1969, pp. 54-59 (1 Fig.).

GIVEON R., "Thutmosis IV. and Asia" [Résumé],
in : **Proceedings of the 27th International Congress of Orientalists - Ann Arbor, Mich., 13 - 19 Aug. 1967**, SINOR D., Ed.,
(Wiesbaden, 1971), pp. 146-147.

GIVEON R., **Les Bédouins Shosou des documents égyptiens**, in coll. :
"Documenta et Monumenta Orientis Antiqui", Vol. 18, (Leiden, 1971),
xviii + 278 pp., et XIX Planches :

    C.R. : AḤITUV S., in : **J.C.S.**, 23/1973, pp. 58-60;
           GÖRG M., in : **O.L.Z.**, 70/1975, col. 245-248;
           LORTON D., in : **J.A.R.C.E.**, 9/1971-1972, pp. 147-150;
           VRIES C.E. DE, in : **J.N.E.S.**, 32/1973, pp. 492-493.

GLOCK A.E., "A New Ta'annek Tablet",
in : **Bulletin of the American Schools of Oriental Research**,
204/1971 (Dec.), pp. 17-30 (5 Figs.).

GLOCK A.E., "Texts and Archaeology at Tell Ta'annek",
  in : **Berytus**, 31/1983, - [= **Language and History in the Ancient Near East. - Proceedings of ... the American University of Beirut, 14 - 16 May 1981**], pp. 57-66 :

  C.R. : V[AWTER] B., in : **O.T.Abstr.**, 9/1986, pp. 131-132.

GÖRG M., **Untersuchungen zur Hieroglyphischen Wiedergabe palästinischer Ortsnamen**, in coll. : "Bonner Orientalistische Studien", N.S., Vol. 29, (Bonn, 1974), 226 pp. + 3 Planches :
  - [**EA** = pp. 6; 25; 43; 46; 56; 79; 92; (105); 124; 134; 186; 197; 199.
  - "Index" = pp. 211-214].

GÖRG M., "qr.t ('Türriegel') keilschriftlich",
  in : **Göttinger Miszellen**, 15/1975, pp. 19-20.

GÖRG M., "Anmerkungen zu **EA 368**",
  in : **Ugarit-Forschungen**, 7/1975, pp. 566-567.

GÖRG M., "zimiu und lamassu",
  in : **Göttinger Miszellen**, 23/1977, pp. 35-36.

GÖRG M., "Beobachtungen zur Basis HTB",
  in : **Biblische Notizen**, 5/1978, pp. 7-11 (1 Fig.) :
  - [**EA 14**, col. I, ll. 55-80 : copie cunéiforme - p. 10].

GÖRG M., "Eine weitere Geschenkbezeichnung in **EA 14**",
  in : **Göttinger Miszellen**, 27/1978, pp. 25-26.

GÖRG M., "Identifikation von Fremdnamen. - Das methodische Problem am Beispiel einer Palimpsestschreibung aus dem Totentempel Amenophis III.",
  in : **Ägypten und Altes Testament. - Festschrift E. EDEL**, GÖRG M., Ed., in coll. : "Studien zu Geschichte, Kultur und Religion Ägyptens und des Alten Testaments", Vol. 1, (Bamberg, 1979), pp. 152-173 et Planche 2 :
  - [**EA** = pp. 165-166 et 171].

GÖRG M., "Weitere Bemerkungen zur Geschenkliste Amenophis' III. (**EA 14**)",
  in : **Göttinger Miszellen**, 79/1984, pp. 15-16.

GÖRG M., Art. : "Amarna",
  in : **Neues Bibel-Lexikon**, GÖRG M. - LANG B., Eds., Vol. I/1, (Zürich, 1988), col. 83-85

GÖRG M., "Zum Namen des Fürsten von Taanach",
  in : **Biblische Notizen**, 41/1988, pp. 15-18 :
  - [**EA** HC T'NK 1/1; 2/1; 5/1; 6/1];   .../...

= in : **Beiträge zur Zeitgeschichte der Anfänge Israels. - Dokumente - Materialien - Notizen**, in coll. : "Ägypten und Altes Testament", Vol. 2, (Wiesbaden, 1989), pp. 167-170.

GÖRG M., "Kinza (Qadesch) in hieroglyphischen Namenslisten ?", in : **Biblische Notizen**, 41/1988, pp. 23-26;

= in : **Beiträge zur Zeitgeschichte der Anfänge Israels. - Dokumente - Materialien - Notizen**, in coll. : "Ägypten und Altes Testament", Vol. 2, (Wiesbaden, 1989), pp. 54-57.

GÖRG M., "Zur Identität der 'Seir-Länder' ", in : **Biblische Notizen**, 46/1989, pp. 7-12;

= in : **Beiträge zur Zeitgeschichte der Anfänge Israels. - Dokumente - Materialien - Notizen**, in coll. : "Ägypten und Altes Testament", Vol. 2, (Wiesbaden, 1989), pp. 135-140.

GOETZE A., "The Struggle for the Domination of Syria (1400 - 1300 B.C.)", in : **The Cambridge Ancient History**, 3° éd. [= **C.A.H. 3**], Vol. II, Part 2, (Cambridge, 1975), xviii + 1128 pp. : - [**EA** : Chap. XVII = pp. 1-20 (1 Carte); pp. 911-913 (Bibliographie)].

GOTTLIEB H., "The Hebrew Particle nâ", in : **Acta Orientalia**, 33/1971, pp. 47-54 : - [**EA** = pp. 48-49].

GRAF D.F. / Cf. FREEDMAN D.N. (1983).

GRAVE C., **Studies on the El Amarna Letters from Tyre**, - Unpubl. Doct. Diss. - Université de Lund, (s.d. [197_]), pp.

GRAVE C., "The Etymology of Northwest Semitic ṣapānu", in : **Ugarit-Forschungen**, 12/1980, pp. 221-229.

GRAVE C., "On the Use of an Egyptian Idiom in an Amarna Letter from Tyre and in a Hymn to the Aten" - [= **EA 147**, ll. 16-27] -, in : **Oriens Antiquus**, 19/1980, pp. 205-218.

GRAVE C., "Northwest Semitic ṣapānu in a Break-up of an Egyptian Stereotype Phrase in **EA 147**", in : **Orientalia**, 51/1982, pp. 161-182.

GRAY J., "Canaanite Kingship in Theory and Practice", in : **Vetus Testamentum**, 2/1952, pp. 193-220 : - [**EA** = pp. 198; 213; 215; 218].

GRAY M.P., "The Ḫâbirū - Hebrew Problem in the Light of the
Source Material Available at Present",
in : **Hebrew Union College Annual**, 29/1958, pp. 134-202 :
- [**EA** = pp. 139; 155-163; 167; 172].

GREEN J.T., **The Role of the Messenger and Message in the Ancient
Near East. - Oral and Written Communication in the Ancient
Near East and in the Hebrew Scriptures : Communicators and
Communiques in Context**, in coll; : "Brown Judaic Studies", Vol. 169,
(Atlanta, 1989), xx + 346 pp. : - [Ed. : Scholars Press]-
- [**EA** = Chap. II : "The Message in the Ancient Near East" = pp. 45-76 :
- § 6/a : "Tell El-Amarna" = pp. 64-66 (& nn. 49-63 = p. 279);
et pp. 72-73 (& n. 65 = p. 280)].

GREENBERG M., **The Ḫab/piru**, in coll. : "American Oriental Series",
Vol. 39, (New Haven, 1955), xiii + 96 pp. :
- [**EA** = Chap. II : "Sources" = pp. 14-58 :
- § II/D : "Tell-El-Amarna Texts" = pp. 32-50; (cf. également pp. 3-6;
70-76 (et 85-96)] :

    C.R. : CAZELLES H., in : **Bi.Or.**, 13/1956, pp. 149-151 :
        [incluant un "Tableau d'équivalence" avec l'ouvrage de
        BOTTÉRO J. (1954) = pp. 149-150];
        WILSON J.A., in : **J.N.E.S.**, 16/1957, pp. 139-141.

HACHMANN R., "Kāmid el-Lōz - Kumidi",
in : **Kāmid el-Lōz - Kumidi. - Schriftdokumente aus Kāmid el-Lōz**,
EDZARD D.O. e.a., Eds., in coll. : "Saarbrücker Beiträge zur
Altertumskunde", Vol. 7, (Bonn, 1970), pp. 63-94 [= Kap. 6] :

    C.R. : GALLING K., in : **O.L.Z.**, 74/1979, col. 37-38.

HACHMANN R., **Kāmid el-Lōz, oder vom Sinn und Unsinn der Kulturgeschichte und ihrer Erforschung**, (Saarbrücken, 1972), 53 pp. (11 Figs).

HACHMANN R., Art. : "Kumidi (Tell Kāmid al-Lōz)",
in : **Reallexikon der Assyriologie**, Vol. VI, (Berlin - New York,
1980 - 1983), pp. 330-334 : - [**EA** = § 2 - pp. 330/B-331].

HACHMANN R., "Der Rabiṣu von Kumidi",
in : **Archéologie au Levant. - Recueil à la mémoire de Roger SAIDAH**,
in coll. : "La Maison de l'Orient Méditerranéen", N° 12
- "Série Archéologie", Vol. 9, (Lyon, 1982), pp. 133-145.

HACHMANN R., "Die ägyptische Verwaltung in Syrien während der
Amarnazeit",
in : **Zeitschrift des Deutschen Palästina-Vereins**, 98/1982, pp. 17-49.

HALLIGAN J.M., "The Role of the Peasant in the Amarna Period",
  in : **Seminar Papers - Society of Biblical Literature**,
  (Missoula/Montana, 1976), pp. 155-169.

HALLIGAN J.M., "The Role of the Peasant in the Amarna Period",
  in : **Palestine in Transition. - The Emergence of Ancient Israel**,
  FREEDMAN D.N. - GRAF D.F., Eds., in coll. : "The Social World
  of Biblical Antiquity Series", Vol. 2, (Sheffield, 1983), pp. 15-24 :
  - / Cf. FREEDMAN - GRAF (1983) : - [**EA** = pp. 16-22].

HALPERN B., "YHWH's Summary Justice in Job XIV, 20",
  in : **Vetus Testamentum**, 28/1978, pp. 472-474 : - [**EA** = p. 473].

HALPERN B., "A Landlord-Tenant Dispute at Ugarit ?",
  in : **Maarav**, 2/1979, pp. 121-140 :
  - [**EA** = pp. 123 (n. 5); 127 (n. 19); 133 (n. 37)].

HALPERN B. - HUEHNERGARD J., "El-Amarna Letter **252**",
  in : **Orientalia**, 51/1982, pp. 227-230.

HALPERN B., **The Emergence of Israel in Canaan**, in coll. : "Society
  of Biblical Literature. - Monograph Series", Vol. 29, (Chico/Calif., 1983),
  xiii + 334 pp. :
  - [**EA** = Part II: "The Emergence of Israel in Canaan" = pp. 45-106:
  - Chap. 3 : "The Israelite Conquest" = pp. 47-63;
  - Chap. 4 : "Canaan in the Amarna Period" = pp. 65-79;
  - Chap. 5 : "The Emergence of Israel in Canaan" = pp. 81-94;
  - et : "Index of Citations from **EA**" = pp. 265-274] :

  C.R. : BRIEND J., in : **Rech.Sc.R.**, 74/1986, p. 627;
          CHRISTENSEN D.L., in : **J.B.L.**, 105/1986, pp. 307-309;
          CONRAD J., in : **O.L.Z.**, 83/1988, col. 170-173;
          EMERTON J.A., in : **V.T.**, 36/1986, pp. 508-509;
          HEALEY J.T., in : **Hist.Rel.**, 25/1985-1986, pp. 97-98;
          HUROWITZ A., in : **I.E.J.**, 38/1988, pp. 200-202;
          LANDES G.M., in : **J.Rel.**, 66/1986, pp. 205-206;
          MARTIN J.D., in : **B.S.O.A.S.**, 49/1986, pp. 388-389;
          OLIVIER H., in : **Rel.St.R.**, 12/1986, p. 157;
          WIFALL W.R., in : **C.B.Q.**, 48/1986, pp. 110-111.

HARRELSON W., "Shechem, the 'Navel of the Land' :
  - Part I : Shechem in Extra-Biblical References",
  in : **The Biblical Archaeologist**, 20/1957 (Febr.), (Fasc. 2),
  pp. 2-10 (4 Figs.) : - [**EA** = pp. 6-9].

HAYES J.L., **Dialectical Variation in the Syntax of Coordination
and Subordination in Western Akkadian of the El-Amarna Period,**
- Unpubl. Ph.D. Diss., University of California at Los Angeles - Dept. of
Near Eastern Languages and Cultures, (Los Angeles, 1984), 344 pp. :
- Cf. : **Dissertation Abstracts,** 45/1984, p. 1738-A.

HECKE K.-H., **Juda und Israel. - Untersuchungen zur Geschichte Israels
in vor- und frühstaatlicher Zeit,** in coll. : "Forschung zur Bibel", Vol. 52,
(Würzburg, 1985), 371 pp. : - [Ed. : Echter Verlag] -
- [Kap. 2 : "Zur Landnahme der Stämme Israels" = pp. 25-109:
- **EA** = pp. 31 (n. 35); 33 (nn. 1, 4); 41 (nn. 3, 4, 6); 44 (n. 1); 52 (nn. 1, 3);
79 (n. 5); 94 (n. 8); 103 (n. 1); - ainsi que pp. 118, 253 (n. 4);
- "Register" = pp. 349-371].

HEINHOLD-KRAHMER S., **Arzawa. - Untersuchungen zu seiner
Geschichte nach den hethitischen Quellen,** in coll. : "Texte der
Hethiter", Vol. 8, (Heidelberg, 1977), xi + 473 pp. :
- [**EA 31-32** - Kap. III/3 : "Die beiden 'Arzawa - Briefe' aus El-Amarna"
= pp. 50-55, (et pp. 324 et 385)].

HEINTZ J.-G., "Un Index documentaire des textes de Mari et d'El-Amarna,
et l'Ancien Testament",
in : **Revue Biblique,** 82/1975, pp. 458-459;
= in : **Zeitschrift für die Alttestamentl. Wissenschaft,** 87/1975, p. 132;
= in : **Revue d'Histoire et de Philos. Relig.,** 56/1976, pp. 606-607;
= in : **Ugarit-Forschungen,** 7/1976, p. 568;
= in : **Journal of Northwest Semitic Languages,** 5/1977, p. 96.

HEINTZ J.-G., " 'Bible et Orient' : Pour de nouvelles perspectives de recherche
et d'analyse documentaires en exégèse biblique (Ancien Testament)",
in : **Lectures Bibliques. - Colloque de Bruxelles, 11 Nov. 1980,** in coll. :
"Publications de l'Institutum Iudaicum", (Bruxelles, 1982), pp. 143-164 :
- [**EA** = § II/3 : "Méthodologie et stratégie de la recherche:
- (Exemple : les textes d'El-Amarna)" = pp. 155-157].

HEINTZ J.-G., avec la collaboration de BAUER D. - MARX A. - MILLOT L.
(Programmation : FRANÇON J.), **Index documentaire d'El-Amarna,**
- Vol. 1 : **Liste/Codage des textes - Index des ouvrages de référence,**
in coll. : "Travaux du Groupe de Recherches et d'Etudes Sémitiques Anciennes - Strasbourg", (Wiesbaden, 1982), xxxiv + 419 pp. - [= **IDEA 1**] :

C.R. : FARBER W., in : **J.N.E.S.,** 46/1987, pp. 65-68;
LIPIŃSKI E., in : **O.L.P.,** 15/1984, p. 254;
MORAN W.L., in : **A.f.O.,** 31/1984, p. 90;
MILLARD A.R., in : **B.L.O.T.,** 1983, p. 29;
RAINEY A.F., in : **Bi.Or.,** 43/1986, col. 488-489;
ROBERTS J.J.M., in : **J.B.L.,** 103/1984, p. 457;
SIGRIST M., in : **R.B.,** 91/1984, pp. 473-474;
SKA J.L., in : **N.R.Th.,** 106/1984, p. 467.

HEINTZ J.-G., "La Sagesse égyptienne d'Aménemopé et le livre biblique
des Proverbes, vus par l'égyptologue Etienne DRIOTON",
[= Journées d'études en hommage à E. DRIOTON, Bibliothèque
Nationale et Universitaire, Strasbourg, 15 et 16 Oct. 1990],
in : **Ktèma**, 14/1989 [paru en 1993], pp. 19-29 (1 Tableau) :
- [**EA 147**, ll. 5-15 = pp. 25-26].

HELCK W., "Die ägyptische Verwaltung in den syrischen Besitzungen",
in : **Mitteilungen der Deutschen Orient-Gesellschaft**, 92/1960, pp. 1-13.

HELCK W., **Die Beziehungen Ägyptens zu Vorderasien im 3. und 2. Jahr-
tausend v. Chr.**, in coll. : "Ägyptologische Abhandlungen", Vol. 5,
(Wiesbaden, 1962), viii + 647 pp., avec 18 Cartes & Figs., et 2 Tableaux :
- [/ Cf. : 2° éd. rev. et compl., (1971) - infra -] :

C.R. [de la 1ère éd. (1962), viii + 648 pp.] :
    FOHRER G., in : **Z.A.W.**, 75/1963, pp. 348-349;
    HORN S.H., in : **J.N.E.S.**, 26/1967, pp. 129-131;
    JANSSEN J.J., in : **J.E.O.L.**, 19/1965-66, pp. 443-448;
    LECLANT J., in : **O.L.Z.**, 62/1967, pp. 555-560;
    MAYRHOFER M., in : **Kratylos**, 8/1963, pp. 206-208;
    MERTENS P., in : **Chron.Eg.**, 38/1963, pp. 91-96;
    NOTH M., in : **Z.D.P.V.**, 80/1964, pp. 104-107;
    WARD W.A., in : **Or.**, 33/1964, pp. 135-140;
    WESTENDORF W., in : **Z.D.M.G.**, 114/1964, pp. 413-415;
    YEIVIN S., in : **Bi.Or.**, 23/1966, pp. 18-27 (1 Fig.).

HELCK W., **Materialien zur Wirtschaftsgeschichte des Neuen Reiches**.
- Teil I : **I. - Die Eigentümer. - a) Die grossen Tempel**,
in coll. : "Akademie der Wissenschaften und der Literatur" [in Mainz]
- Abhandlungen der Geistes- und Sozialwissenschaftlichen Klasse",
Jahrg. 1960 - N° 10, (Mainz, 1961), 1320 pp. :
- [**EA** - Cf. "Index", par : HOFMANN I. (1970) = pp. 1240-1241].

HELCK W., "Zur staatlichen Organisation Syriens im Beginn der 18. Dynastie"
in : **Archiv für Orientforschung**, 22/1968-69, pp. 27-29.

HELCK W., "Die Bedrohung Palästinas durch einwandernde Gruppen
am Ende der 18. und am Anfang der 19. Dynastie",
in : **Vetus Testamentum**, 18/1968, pp. 472-480 : - [**EA** = pp. 472-473].

HELCK W., "Amarna-Probleme",
in : **Chronique d'Egypte**, 44/1969, pp. 200-213.

HELCK W., **Die Beziehungen Ägyptens zu Vorderasien im 3. und 2. Jahrtausend v. Chr.**, in coll. : "Ägyptologische Abhandlungen", Vol. 5,
(Wiesbaden, 1971) : - [/ Cf. : 1ère éd. = (1962)] -
[= 2° éd. rev. et compl. : ix + 611 pp., avec 13 Cartes et 2 Planches].

HELCK W., "Die Lage der Stadt Tunip",
  in : **Ugarit-Forschungen**, 5/1973, pp. 286-287.

HELD M., "Studies in Comparative Semitic Lexicography" :
  in : **Studies in Honour of Benno LANDSBERGER ...**, in coll. :
  "Assyriological Studies", Vol. 16, (Chicago, 1965), pp. 395-406 :
  - [**EA** : - § II. - "Canaanite hāsilū = Akkadian gamrū" = pp. 398-401
  (& pp. 405-406, nn. 147 & 163)].

HELD M., "The Root ZBL / SBL in Akkadian, Ugaritic and Biblical Hebrew",
  in : **Journal of the American Oriental Society**, 88/1968, pp. 90-96.
  - [= **Essays in Memory of E.A. SPEISER** , HALLO W.W., Ed.] -.

HELLBING L., **Alasia Problems**, in coll. : "Studies in Mediterranean
  Archaeology", Vol. LVII, (Göteborg, 1979), xii + 112 pp. (ill.)
  - [Ed. : P. Åström's Förlag] :

    C.R. : ARTZI P., in : **Bi.Or.**, 41/1984, col. 208-213;
           KNAPP A.B., in : **J.Field Arch.**, 12/1985, pp. 231-250:
                                    [§ 3) = pp. 245-250;
           MORAN W.L., in : **Or.**, 51/1982, pp. 143-145;
           WANKENNE A., in : **Et.Class.**, 48/1980, p. 190.

HELTZER M.L., "Lutte politique et lutte de classes à Byblos
  durant la période d'El Amarna" [en Russe],
  in : **Vestnik Drevnej Istorii**, 1954, (Fasc. 1), pp. 33-39.

HELTZER M., "Altorientalische politische Konzeptionen, beleuchtet
  von einem italienischen Gelehrten" [en Russe],
  in : **Voprosi Istorii**, 5/1969, pp. 203-204 :
  - [= / cf. LIVERANI M., in : **R.A.**, 61/1967, pp. 1-18].

HELTZER M., **The Suteans** - [With a Contribution by ARBELI Sh.],
  in coll. : "Instituto Universitario Orientale - Seminario di Studi Asiatici
  - Series Minor", Vol. XIII, (Naples, 1981), ix + 139 pp. :

    C.R. : FENSHAM F.C., in : **J.N.S.L.**, 10/1982, p. 106;
           KUPPER J.R., in : **Or.**, 53/1984, pp. 145-147;
           RÖLLIG W., in : **W.d.O.**, 14/1983, pp. 241-242;
           SIGRIST M., in : **R.B.**, 89/1982, pp. 459-460;
           WISEMAN D.J., in : **B.L.O.T.**, 1982, p. 95.

HELTZER M., **The Internal Organization of the Kingdom of Ugarit :**
  (Royal Service-System, Taxes, Royal Economy, Army and
  Administration), (Wiesbaden, 1982), xxxi + 212 pp. :
  - [**EA** = pp. 75 (n. 191); 120-121; 141-142 (n. 5), & p. 198/a : "Index"].

HESS R., **Amarna Proper Names**,
- Unpubl. Ph.D. Diss., Hebrew Union College, (Cincinnati, 1984),
x + 667 pp. :   - [Cf. Publication : - Infra - (1993)] -
- [Cf. : **Dissertation Abstracts International**, 45/1985 (Jan.), N° 07,
pp. 2081-A - 2082-A;
- University Microfilms, Ann Arbor (1984) - N° PTY 84-20005].

HESS R.S.,"Personal Names from Amarna:Alternative Readings
and Interpretations",
in : **Ugarit-Forschungen**, 17/1985, pp. 157-167.

HESS R.S., "Divine Names in the Amarna Texts",
in : **Ugarit-Forschungen**, 18/1986, pp. 149-168.

HESS R.S., "Cultural Aspects of Onomastic Distribution in the Amarna Texts"
in : **Ugarit-Forschungen**, 21/1989, pp. 209-216.

HESS R.S., "Hebrew Psalms and Amarna Correspondence from Jerusalem :
Some Comparisons and Implications",
in : **Zeitschrift für die Alttestamentliche Wissenschaft**,
101/1989, pp. 249-265.

HESS R.S., "Rhetorical Forms in **EA 162**",
in : **Ugarit-Forschungen**, 22/1990, pp. 137-148.

HESS R.S., "The Operatio of Case Vowels in the Personal Names of
the Amarna Texts",
in : **Mésopotamie et Elam** - [= **Actes de la XXXVIème Rencontre
Assyriologique Internationale - Gand, 10-14 Juillet 1989**],
MEYER L. DE - GASCHE H., Eds., in coll. : "Mesopotamian History
and Environment. - Occasional Publications", Vol. I, (Louvain, 1991),
pp. 201-210.

HESS R.S., "Reference to Divine Name Yahweh in Late Bronze Age
Sources ?",
in : **Ugarit-Forschungen**, 23/1991, pp. 181-188 :
- [§ IV. - "A Personal Name in Amarna Akkadian" (= **EA 154/8**)
= pp. 183-186] :

C.R. : F[ITZGERALD] A., in : **O.T.Abs.**, 16/1993, p. 357.

HESS R., **Amarna Personal Names**, in coll. : "American Schools of Oriental
Research. - Dissertation Series", Vol. 9, (Winona Lake/Ind., 1993),
xii + 292 pp. : - [Ed. : Eisenbrauns] -
- [- Chap. (I) : "Catalog of Names" = pp. 7-184;
- Chap. (II) : "Grammatical Analysis" = pp. 185-199;
- Chap. (III) : "Glossaries" = pp. 200-242;
- Chap. (IV) : "Logograms" = p. 243;
-- "Sources Cited" = pp. 249-293 (sans "Index" !)].

HESS R.S., " 'Smitten Ants Bites Back' : Rhetorical Forms in the
Amarna Correspondence from Shechem",
in : **Verse in Ancient Near Eastern Prose**, MOOR J.C. DE - WATSON
W.G.E., Eds., in coll. : "Alter Orient und Altes Testament", Vol. 42,
(Kevelaer - Neukirchen/Vluyn, 1993), pp. 95-111 :
- [**EA** = § 2. - **EA 252** = pp. 95-103; - **EA 253** = pp. 103-107;
- **EA 254** = pp. 107-111; & "Index" = p. 372].

HESS R.S., **Studies in the Personal Names of Genesis 1 - 11**, in coll. :
"Alter Orient und Altes Testament", Vol. 234, (Kevelaer - Neukirchen/
Vluyn, 1993), XX + 200 pp. :
- [**EA** = pp. 30; 39; 50; 55; 61; 63; 70; 93; 116;
- "Indices" = pp. 197-200; - "Bibliography" = pp. 163-195].

HESS R.S., "Rhetorical Forms in the Jerusalem Amarna Correspondence",
in : (Collectif), **Tell el-Amarna, 1887 - 1987**, BEITZEL B.J.
- YOUNG G.D., Eds., (Winona Lake/Ind., 199_), < Forthcoming >
- [Ed. : Eisenbrauns] -

HILLERS D.H., "Dust : Some Aspects of Old Testament Imagery",
in : **Love & Death in the Ancient Near East. - Essays in Honor
of Marvin H. POPE**, MARKS J.H. - GOOD R.M., Eds.,
(Guilford/Conn., 1987), pp. 105-109 : - [**EA** = p. 106].
- [Ed.: Four Quarters Publ. Co.] -

HIRSCH H.E., Art. "Amarna-Tafeln",
in : **Kindlers Literatur Lexicon**, Vol. 1, (Zürich, 1965), col. 521-522.

HOFMANN I., **Indices** zu W.HELCK, **"Materialien zur Wirtschaftsgeschichte des Neuen Reiches"**, in coll. : "Akademie der Wissenschaften
und der Literatur (in Mainz) - Abhandlungen der Geistes- und Sozialwiss.
Klasse", Jahrg. 1969 - N° 13, (Mainz, 1970), 298 pp. :
- [= pp. 1022-1320 de HELCK W. (1961)] :
- [**EA** = pp. 1240-1241 : "Index"].

HOLMES Y.L., "Egypt and Cyprus : Late Bronze Age Trade and Diplomacy",
in : **Orient and Occident. - Essays Presented to Cyrus H. GORDON
on the Occasion of his Sixty-Fifth Birthday**, HOFFNER H.A., Ed.,
in coll. : "Alter Orient und Altes Testament", Vol. 22,
(Kevelaer-Neukirchen/Vluyn, 1973), pp. 91-98.

HOLMES Y.L., "The Messengers of the Amarna Letters",
in : **Journal of the American Oriental Society**, 95/1975, pp. 376-381.

HORNUNG E., **Untersuchungen zur Chronologie und Geschichte
des Neuen Reiches**, incoll. :"Ägyptologische Abhandlungen", Vol. 11,
(Wiesbaden, 1964), 121 pp. :

.../...

- [**EA** : Chaps. IX - XI = pp. 63-94 :
- [Chap. IX: "Die Synchronismen der Amarna-Zeit" = pp. 63-70;
- Chap. X : "Gemeinsame Regierung von Amenophis III. und Echnaton ?"
= pp. 71-78;
- Chap. XI : "Höhepunkte und Ende der Amarna-Zeit" = pp. 79-94] :

  C.R. : BARTA W., in : **Z.D.M.G.**, 116/1966, pp. 179-181;
             HORN S.H., in : **J.N.E.S.**, 25/1966, pp. 280-283;
             KITCHEN K.A., in : **Chron. d'Eg.**, 40/1965, pp.310-322;
             RUPP A., in : **Th.L.Z.**, 91/1966, col. 420-422;
             UPHILL E., in : **Bi.Or.**, 23/1966, col. 33-35.

HOSPERS J.H. [Ed.], **A Basic Bibliography for the Study**
of the Semitic Languages, Vol. I, (Leiden, 1973), XXV + 401 pp. :
- [LETTINGA J.P., "Amarna - Canaanite" : Section A/X = pp. 172-175].

HUEHNERGARD J. / Cf. HALPERN B. (1982).

HUEHNERGARD J., "On Verbless Clauses in Akkadian",
  in : **Zeitschrift für Assyriologie**, 76/1986, pp. 218-249 :
- [**EA** = pp. 222-224; 231; 237; 242-248].

HUEHNERGARD J., "Northwest Semitic Vocabulary in Akkadian Texts.
  - [Review Article]",
  in : **Journal of the American Oriental Society**, 107/1987, pp. 713-725 :
- [= C.R. de SIVAN D. (1984) / **EA** = pp. 717-724].

HUEHNERGARD J., **The Akkadian of Ugarit**, in coll. : "Harvard Semitic
  Studies", Vol. 34, (Atlanta, 1989), xxiii + 473 pp. :
- ["Index of Texts Cited" = pp. 443-473: - **EA** = pp. 443/C-D - 444/A-C] :

  C.R. : IZRE'EL Sh., in : **Bi.Or.**, 49/1992, col. 168-180;
             MALBRAN-LABAT Fl., in : **Syria**, 67/1990, pp. 753-755;
             MARCUS D., in : **J.B.L.**, 109/1990, pp. 695-696;
             SODEN W. VON, in : **O.L.Z.**, 86/1991, col. 45-48.

HUROWITZ V. (A.), **"I Have Built You an Exalted House". - Temple**
Building in the Light of Mesopotamian and Northwest Semitic
Writings, in coll. : "Journal for the Study of the Old Testament. -
Supplement Series", Vol. 115, (Sheffield, 1992), 398 pp. :
- [Ed. : Sheffield Academic Press] -
- [Chap. 9 : "The Acquisition of Building Materials : The Literary and
Material Culture Background of 1 Kings 5. 15-26" = pp. 171-223 :
- & Cf. "Index of Extra-Biblical Sources" = pp. 382-398 :
- **EA** = p. 390 : pp. 174-177; 184-188; 191-193; 203].

HUTTER M., **Altorientalische Vorstellungen von der Unterwelt. - Literar- und religionsgeschichtliche Überlegungen zu "Nergal und Ereškigal"**, in coll. : "Orbis Biblicus et Orientalis", Vol. 63, (Freiburg/CH -Göttingen, 1985), viii + 187 pp. :
- [**EA** = II/1-2 : "Die Version von Tell el-Amarna (= A)" [= **EA 357**] = pp. 6-17] :

    C.R. : AFANASIEVA V. - LEVIN I., in : **O.L.Z.**, 84/1989, col. 163-167;
             CAGNI L., in : **Henoch**, 13/1991, pp. 93-99;
             EDZARD D.O., in : **Z.A.**, 79/1989, pp. 124-127 (2 Croquis);
             FRITZ V., in : **B.Z.**, 93/1989, pp. 129-130;
             GORDON R.P., in : **V.T.**, 37/1987, p. 118;
             GRONEBERG B., in : **W.d.O.**, 18/1987, pp. 175-179;
             HEALEY J.F., in : **B.L.O.T.**, 1986, p. 104;
             MORAN W.L., in : **C.B.Q.**, 49/1987, pp. 114-115;
             W[HITE] R., in : **J.S.O.T.**, 36/1986, p. 116.

HUYSSTEEN P.J.J. VAN, "Western Peripheral Akkadian Features and Assyrianisms in the Emar Letters",
    in : **Journal of Northwest Semitic Languages**, 18/1992, pp. 185-207 :
    - [**EA** = pp. 187-190 & 193].

IKEDA Y., "Solomon's Trade in Horses and Chariots in Its International Setting",
    in : **Studies in the Period of David and Solomon, and Other Essays**,
    - [**Papers Read at the International Symposium for Biblical Studies, Tokyo, 5 - 7 December 1979**], ISHIDA T., Ed., (Tokyo, 1982), pp. 215-238 (dont 1 Tableau = p. 226), - et p. 386/A [= Index **EA**] :
    - [**EA** = pp. 221; 224-225; 228].

IZRE'EL Sh., **The Gezer Letters of the El-Amarna Archive.**
    - **Linguistic Analysis** [en Hébreu],
    - Unpubl. M.A. Diss., Tel Aviv University, (Tel Aviv, 1976), 106 pp.
    - [Cf. / = **I.O.S.**, 8/1978, pp. 13-90].

IZRE'EL Sh., "Two Notes on the Gezer-Amarna Tablets",
    in : **Tel Aviv**, 4/1977, pp. 159-167, et Planche 18/5 (Photo).

IZRE'EL Sh., "The Gezer Letters of the El-Amarna Archive. - Linguistic Analysis",
    in : **Israel Oriental Studies**, 8/1978, pp. 13-90.

IZRE'EL Sh., "The El-Amarna Letters from Canaan",
    in : **Interdisciplinary Bible Scholar**, 1/1979, pp. 14-22.

IZRE'EL Sh., "On the Use of the So-Called Ventive Morpheme in
the Akkadian Texts of Amurru",
in : **Ugarit-Forschungen**, 16/1984, pp. 83-92;
et in : **Ugarit-Forschungen**, 17/1985, pp. 403-404 :
[= "Literatur-Nachtrag"].

IZRE'EL Sh., **The Akkadian Dialect of the Scribes of Amurru
in the 14th - 13th Centuries B.C. : Linguistic Analysis,**
- Unpubl. Ph.D. Diss., Dept. of Semitic Linguistics, Tel Aviv University,
(Tel Aviv, March 1985) :
- [Vol. 1 : 430 pp. [Hebrew] et pp. 1** - 25** (English Summary);
- Vol. 2 : Supplement : IV + 66* pp. (Transcriptions and Translations
to Hebrew)].

IZRE'EL Sh., "The Complementary Distribution of the Vowels e̲ and i̲
in the Peripheral Akkadian Dialect of Amurru. - A Further Step Towards
Our Understanding of the Development of the Amarna Jargon",
in : **Proceedings of the Fourth International Hamito-Semitic Congress.
- Hamburg, 20 - 22 September, 1983**, JUNGRAITHMAYR H. -
MÜLLER W.W., Eds., in coll. : "Amsterdam Studies in the Theory and
History of Linguistic Science" - Series IV : "Current Issues in Linguistic
Theory", Vol. 44, (Amsterdam - Philadelphia, 1987), pp. 525-541.
- [Ed. J. Benjamins B.V.]

IZRE'EL Sh., "Early Northwest Semitic 3rd pl. m. Prefix :
The Evidence of the Amarna Letters",
in : **Ugarit-Forschungen**, 19/1987, pp. 79-90.

IZRE'EL Sh., **Amurru Akkadian : A Linguistic Study.
- With an Appendix on the History of Amurru -** [by SINGER I.],
in coll. : "Harvard Semitic Studies", Vol. 40 - 41, (Atlanta, 1991) :
- Vol. I = 387 pp.; - Vol. II = 253 pp. :
- [**EA** = Vol. II : "Texts" = pp. 7-108, dont : - **EA 60 - 62** = pp. 7-15;
- **EA 156 - 161** = pp. 15-36; - **EA 164 - 171** = pp. 36-61;
- **EA 371** = pp. 62-64; & "Index of Texts Cited" = pp. 239-247].

IZRE'EL Sh., "Some Thoughts on the Amarna Version of Adapa",
in : **Mésopotamie et Elam -** [= **Actes de la XXXVIème Rencontre
Assyriologique Internationale - Gand, 10-14 Juillet 1989**], MEYER L.
DE - GASCHE H., Eds., in coll. : "Mesopotamian History and
Environment.   - Occasional Publications", Vol. I, (Louvain, 1991), pp.
211-220 :
- [= **EA 356** ("Adapa Fragment B") = pp. 216-219 (Transcr. et Trad.)].

IZRE'EL Sh., "See Red : Reflections on the Amarna Recension of Adapa",
in : **Semitic Studies in Honor of Wolf LESLAU ...**, KAYE A.S., Ed.,
Vol. I, (Wiesbaden, 1991), pp. 746-771 :
- [Appendix : "Adapa and the South Wind (**EA 356**)" = pp. 763-767].

IZRE'EL Sh., "New Readings in the Amarna Versions of Adapa
and Nergal and Ereskigal",
in : **kinattutu sa darâti**. - **Raphael KUTSCHER Memorial Volume**,
RAINEY A.F., Ed., in coll. : "Tel Aviv - Occasional Publications", Vol. 1,
(Tel Aviv, 1993), pp. 51-67, dont : "References" = pp. 65-67 :
- [**EA 356** = pp. 52-57; - **EA 357** = pp. 58-65].
- [Ed. : Tel Aviv University - Institute of Archaeology] -

IZRE'EL Sh., "Notes brèves" : - § 71 : "amur in Amurru",
in : **N.A.B.U.** - **Nouvelles Assyriologiques Brèves et Utilitaires**,
1993/ § 71, [= N ° 3 - Sept.], p. 57.

IZRE'EL Sh., "Some Methodological Requisites for the Study of the Amarna
Jargon. - Notes on the Essence of that Language",
in : (Collectif), **Tell el-Amarna, 1887 - 1987**, BEITZEL B.J.
- YOUNG G.D., Eds., (Winona Lake/Ind., 199_), < Forthcoming >
- [Ed. Eisenbrauns].

JANSSEN J.J., "Semitic Loan-Words in Egyptian Ostraca",
in : **Jaarbericht ... Ex Oriente Lux**, 19/1965-66, pp. 443-448:
- [= C.R. de HELCK W., **Die Beziehungen Ägyptens ...**, (1962)
/ - Cf. - Supra].

JARITZ K., "Quellen zur Geschichte der Kassu-Dynastie",
in: **Mitteilungen des Instituts für Orientforschung**, 6/1958, pp. 187-265:
- [**EA** = pp. 191-192 (n. 18-19); p. 194 (n. 43); p. 210 (n. 85),
et pp. 211-214 et 236-240].

JIDEJIAN N., **Beyrouth à travers les âges**, - Traduit de l'anglais
par EDDE R., (Beyrouth, 1993), 237 pp. (ill.) :
- [Ed. : Librairie Orientale - Impr. Cathol., Araya] -
- [**EA** : "Les Tablettes de Tell el-'Amarna" = pp. 35-39 (1 Carte)
(= **EA 141 - 143**), - & p. 217 ("Liste des rois (de) Beyrouth")].

JIRKU A., "The Problem of Alashiya",
in : **Palestine Exploration Quarterly**, 82/1950, pp. 40-42;

= in : **Von Jerusalem nach Ugarit. - Gesammelte Schriften**,
(Graz, 1966), pp. 359-361. - [Ed. : Akadem. Druckanstalt] -

JIRKU A., **Geschichte Palästina-Syriens im orientalischen Altertum**,
(Aalen, 1963), 206 pp. et 1 Carte :
- [**EA** = Kap. V : "Die jüngere Bronzezeit (1600-1200 v. Chr.)"
= pp. 75-130, & 1 Carte] :

C.R. : BRINKMAN J.A., in : **C.B.Q.**, 26/1964, pp. 401-402;
BRONGERS H.A., in : **Th.L.Z.**, 90/1965, col. 104-106;

.../...

BUCHHOLZ H.G., in : **H.Z.**, 201/1965, pp. 378-387;
DHORME E., in : **R.H.R.**, 166/1964, pp. 63-66;
DONNER H., in : **Bi.Or.**, 23/1966, pp. 62-63;
FOHRER G., in : **Z.A.W.**, 76/1964, pp. 107-108;
HELTZER M.L., in : **V.D.I.**, 96/1966, pp. 232-233;
KOMORÓCZY G., in : **Antik Tanulmányck** (Budapest),
              [11/1964, pp. 301-302;
P[ARROT] A., in : **Syria**, 42/1965, pp. 165-166;
V[AUX] R. DE, in : **R.B.**, 73/1966, pp. 147-148;
VOGT E., in : **Bibl.**, 45/1964, pp. 595-596.

JOANNES F., Art. : "Metalle und Metallurgie. - A/I : In Mesopotamien",
in : **Reallexikon der Assyriologie und Vorderasiatischen Archäologie**,
Vol. VIII, Fasc. 1-2, (Berlin - New York, 1993), pp. 96/A-112/A :
- [**EA** = pp. 101/B-102/A; 105/B; 106/B; 111/A] - [en Français].

JOHAG I., "Ṭōb - Terminus technicus in Vertrags- und Bündnisformularen
des Alten Orients und des Alten Testaments",
in : **Bausteine Biblischer Theologie. - Festgabe für G.J. BOTTER-
WECK zum 60. Geburtstag ...** , FABRY H.-J., Ed., in coll. :
"Bonner Biblischer Beiträge", Vol. 50, (Köln-Bonn, 1977), pp. 3-23.

JUCQUOIS G., **Phonétique comparée des dialectes moyens-babyloniens
du Nord et de l'Ouest**, in coll. : "Bibliothèque du Muséon", Vol. 53,
(Louvain, 1966), 318 pp. (1 Carte) :

    C.R. : BUCCELLATI G., in **O.A.**, 10/1971, pp. 79-83;
            COHEN D., in : **G.L.E.C.S.** [C.R. du], 12-13/1967-69, pp. 13-15;
            DEROY L., in : **R.B.Ph.H.**, 45/1967, pp. 241-242.

KALLAI Z. - TADMOR H., "Bīt Ninurta = Beth Horon. - On the History
of the Kingdom of Jerusalem in the Amarna Period" - [en Hébreu],
in : **Eretz Israel**, 9/1969, [= **W.F. ALBRIGHT Volume**,
MALAMAT A., Ed.], pp. 138*-147*, - [et p. 138/A : "Summary"].

KALLUVEETTIL P., **Declaration and Covenant. - A Comprehensive
Review of Covenant Formulae from the Old Testament and the
Ancient Near East**, in coll. : "Analecta Biblica", Vol. 88, (Rome, 1982),
XI + 284 pp. : - [**EA** = pp. 130 (n. 63); 132; etc. / + Voir "Index"] :

    C.R. : HILLERS D.R., in : **J.B.L.**, 104/1985, pp. 117-118;
            KUTSCH E., in : **Bi.Or.**, 41/1984, pp. 680-686;
            PHILLIPS A., in : **J.S.S.**, 29/1984, pp. 287-289;
            THOMPSON H.O., in : **C.B.Q.**, 47/1985, pp. 133-135;
            WANKE G., in : **Z.A.W.**, 96/1984, p. 151.

KAMMENHUBER A., "Hurrische Nomina",
  in : **Studien zur Sprachwissenschaft und Kulturkunde. -
  Gedenkschrift für W. BRANDENSTEIN (1898-1967)**,
  in coll. : "Innsbrücker Beiträge zur Kulturwissenschaft", Vol. 14,
  (Innsbruck, 1968), pp. 247-258 : - [= **EA 24**] -

KAMMENHUBER A., "Morphologie hurrischer Nomina" - [= **EA 24**] -,
  in : **Münchener Studien zur Sprachwissenschaft**, 23/1968, pp. 49-79.

KAMMENHUBER A., "Die neuen hurrischen Texte aus Ugarit",
  in : **Ugarit-Forschungen**, 2/1970, pp. 295-302 :
  - [**EA** = pp. 298, 300-301].

KAPELRUD A., "Evig liv var ikke gitt ham",
  in : **Svensk Exegetisk Årsbok**, 54/1989, pp. 101-108 :
  - [**EA 356** = pp. 103-105].

KATZENSTEIN H.J., "Tyre in the El-Amarna Letters" [en Hébreu],
  in : **Pʰraqim**, 1/1967-68, pp. 115-130 (1 Tableau).

KATZENSTEIN H.J.,**The History of Tyre from the Beginning of the
  Second Millenium B.C.E. until the Fall of the Neo-Babylonian Empire
  in 538 B.C.E.**, (Jerusalem, 1973), xxiii + 373 pp. :

  C.R. : (Anon.), in : **Z.A.W.**, 87/1975, pp. 120-121;
          FINEGAN J., in : **C.B.Q.**, 37/1975, pp. 584-585;
          FULCO W.J., in : **R.B.**, 82/1975, pp. 286-288;
          GORDON R.P., in : **B.L.O.T.**, 1976, pp. 81-82;
          JANSSEN J.J., in : **Ann.Egypt.Bibl.**, 1973, pp. 111-112;
          STERN E., in : **Qadmoniôt**, 34-35/1976, p. 96.

KATZENSTEIN H.J., "Some Reflections Concerning El-Amarna **296**",
  in : **Proceedings of the Ninth World Congress of Jewish Studies
  - Jerusalem, August 4-12, 1985**, - Division A : **The Period of the Bible**,
  (Jerusalem, 1986), pp. 5-12.

KAUFMAN St.A., "An Emphatic Plea for Please",
  in : **"Let Your Colleagues Praise You". - Studies in Memory of Stanley
  GEVIRTZ**, RATNER R.J. - BARTH L.M. - LUIJKEN GEVIRTZ M.
  - ZUCKERMAN Br., Eds., [= **MAARAV**, 7-8/1991-1992] :
  = in : **MAARAV**, 7/1991, pp. 191-198 : - [**EA** = p. 197].

KEMP B.J., "Imperialism and Empire in New Kingdom Egypt
  (c. 1575 - 1087 B.C.)",
  in : **Imperialism in the Ancient World. -** [= **The Cambridge University
  Seminar in Ancient History**], GARSNEY P.D.A. - WHITTAKER C.R.,
  Eds., (London - New York - Melbourne, 1978), pp. 7-57 (1 Carte = p. 46),
  et pp. 284-297 (149 Notes) - [**EA** = pp. 16-20 et 45-50 (& 55), & Notes].

KENTJANAPUTRA / Cf. GIANTO [KENTJANAPUTRA] A. (1990).

KESTEMONT G., "Le Nahr el-Kebir et le pays d'Amurru",
in : **Berytus**, 20/1971, pp. 47-55.

KESTEMONT G., **Diplomatique et droit international en Asie Occidentale
(1600 - 1200 av. J.C.)**, in coll. : "Publications de l'Institut Orientaliste de
Louvain", Vol.9, (Louvain, 1974), ix + 679 pp. :

    C.R. : ARCHI A., in : **S.M.E.A.**, 16/1975, pp. 242-243;
           ESPEN P. VAN, in : **Tijd.Rechts.G.**, 47/1979, p. 353;
           LIVERANI M., in : **Or.Ant.**, 16/1977, pp. 251-255;
           SCHARBERT J., in : **Th.R.**, 71/1975, pp. 451-453.

KESTEMONT G., "Remarques sur les aspects juridiques du commerce
dans le Proche-Orient du XIV° siècle avant notre ère",
in : **Iraq**, 39/1977, = **Trade in the Ancient Near East. - [= Comptes
Rendus de la 23° Rencontre Assyriologique Internationale,
- Birmingham, 1976]**, (London, 1977), pp. 191-201.

KESTEMONT G., "La société internationale mitannienne et le royaume
d'Amurru à l'époque amarnienne",
in : **Orientalia Lovaniensia Periodica**, 9/1978, pp. 27-32.

KESTEMONT G., "Accords internationaux relatifs aux ligues hittites
(1600 - 1200 av. J.C.)",
in : **Orientalia Lovaniensia Periodica**, 12/1981, pp. 15-78 :
- [**EA** = p. 71 : - **EA 8/35-41** - Transcr. / Trad.].

KINAL F., "Amarna arsivindeki Babil mektinlari" [en Turc],
in : **Dil ve Tarih = Cografya Fakültesi Dergisi** [Ankara],
23/1965, pp. 171-194.

KINET D., **Ugarit. - Geschichte und Kultur einer Stadt in der Umwelt
des Alten Testaments**, in coll. : "Stuttgarter Bibel-Studien", Vol. 104,
(Stuttgart, 1981), 169 pp. (7 Figs.) :
- [Kap. 2 : "Geschichte der Stadt Ugarit" = pp. 17-82 :
- § 2.5 : "Das goldene Zeitalter Ugarits (1400 bis 1200 v. Chr.)"
= pp. 29-43 (& 1 Carte = p. 31) :
- **EA** = pp. (15-16; 28); 29-30; 32-37; (50)] :

    C.R. : BERNHARDT K.H., in : **Th.L.Z.**, 108/1983, pp. 663-664;
           HEALEY J.F., in : **B.L.O.T.**, 1983, p. 100;
           KAISER O., in : **Z.A.W.**, 94/1982, p. 449;
           LORETZ O., in : **Th.R.**, 79/1983, p. 364;
           LORETZ O., in : **U.F.**, 14/1982, p. 326;
           MOHR F., in : **Z.Kath.Th.**, 105/1983, pp. 89-90.

KITCHEN K.A., **Suppiluliuma and the Amarna Pharaohs. - A Study
in Relative Chronology**, in coll. : "Liverpool Monographs in Archaeology
and Oriental Studies",Vol. 5, (Liverpool, 1962), ix + 62 pp.

C.R.: ALBRIGHT W.F., in : **B.A.S.O.R.**, 185/1967, p. 63;
HOUWINCK TEN CATE Ph.H.J., in : **Bi.Or.**, 20/1963, pp. 270-276;
LAROCHE E., in : **R.H.A.**, 21/1963, Fasc. 72, p. 55;
WARD W.A., in : **Or.**, 33/1964, pp. 473-476.

KITCHEN K.A., "On the Chronology and History of the New Kingdom",
in : **Chronique d'Egypte**, 40/1965, pp. 310-322 :
[= / Cf. C.R. - HORNUNG (1964)].

KITCHEN K.A., "Suppiluliuma",
in : **I Protagonisti della Storia Universale**, Vol. I, (Milano, 1967),
pp. 253-280.

KITCHEN K.A., "Further Notes on New Kingdom Chronology and History",
in : **Chronique d'Egypte**, 43/1968, pp. 313-324 :
[= / Cf. C.R. - REDFORD (1967)].

KITCHEN K.A., "Interrelations of Egypt and Syria",
in : **La Syria nel Tardo Bronzo**, LIVERANI M., Ed., in coll. :
"Orientis Antiqui Collectio", Vol. IX, (Rome, 1969), pp. 77-95.

KLEIN J., " 'ū dāku' - The Linguistic Issue" [Appendix :],
in : **Ugarit-Forschungen**, 9/1977, pp. 10-11 :
[- apud : ALTMAN A., "The Fate of Abdi-Ashirta", - Ibidem -, pp. 1-10].

KLENGEL H.,"Aziru von Amuru und seine Rolle in der Geschichte
der Amārnazeit",
in : **Mitteilungen des Instituts für Orientforschung**, 10/1964, pp. 57-83.

KLENGEL H., **Geschichte Syriens im 2. Jahrtausend v. u. Z.** :

- Tome 1 : **Nordsyrien**, in coll. : "Deutsche Akademie der Wissenschaften
zu Berlin, Institut für Orientforschung", N° 40, (Berlin, 1965),
xvi + 311 pp., et 2 Cartes :

C.R. : BIROT M., in : **Bi.Or.**, 24/1967, pp. 196-198;
DIETRICH M., - LORETZ O., in : **O.L.P.**, 61/1966, col. 554-560;
EDZARD D.O., in : **Z.D.M.G.**, 118/1968, pp. 151-152;
FOHRER G., in : **Z.A.W.**, (N.F.) 36/1965, p. 359;
HECKER K., in : **Mundus**, 2/1966, pp. 27-28;
HELCK W., in : **G.W.U.**, 1971, pp. 124-125;
LIVERANI M., in : **Or.**, 35/1966, pp. 318-322.

.../...

- Tome 2 : **Mittel - und Südsyrien**, in coll. : "Deutsche Akademie der Wissenschaften zu Berlin, Institut für Orientforschung", N° 40, (Berlin, 1969), xvi + 485 pp., et 1 Carte :

C.R. : (Anon.), in : **Bi.Or.**, 28/1971, p. 286;
       HECKER K., in : **Mundus**, 7/1971, pp. 319-320;
       HELCK W., in : **G.W.U.**, 1971, pp. 124-125;
       LIVERANI M., in : **Or.**, 39/1970, pp. 450-454.

- Tome 3 : **Historische Geographie und Allgemeine Darstellung**, in coll.: "Deutsche Akademie der Wissenschaften zu Berlin, Institut für Orient-forschung", N° 40, (Berlin, 1970), xvi + 270 pp., et 6 Cartes :

C.R. : NJAMMASCH M., in : **Z.f.Gesch.-Wiss.**, 20/1972, p. 381.

KLENGEL H., "Einige Bemerkungen zur Syrienpolitik des Amenophis IV. / Echnaton",
   in : **Das Altertum**, 11/1965, pp. 131-137 (1 Carte & 1 Fig.).

KLENGEL H., "Aziru of Amurru and his Position in the History of the Amarna Age",
   in : **Proceedings of the 26th International Congress of Orientalists, - New Dehli, 4 - 10 Jan. 1964**, Vol. II, (New Dehli, 1968), pp. 42-43 [= "Summary"] :
   - [= / Cf. KLENGEL H., in : **M.I.O.**, 10/1964, pp. 57-83].

KLENGEL H., "Das Land Kush in den Keilschrifttexten von Amarna",
   in : **Ägypten und Kush. - Festschrift F. HINTZE**, in coll. : "Schriften zur Geschichte und Kultur des Alten Orients", Vol. 13, ENDESFELDER E. - PRIESE K.-H. - REINEKE W.-F. - WENIG S., Eds., (Berlin, 1977), pp. 227-232.

KLENGEL H., **Handel und Händler im alten Orient**, (Leipzig, 1979), 247 pp. :
   - [**EA** = Chap. : "Die Amarnabriefe und der Austausch von 'Geschenken' " = pp. 153-156; - cf. "Index", p. 242].

KLENGEL H., "City and Land of Damascus in the Cuneiform Tradition",
   in : **Les Annales Archéologiques Arabes Syriennes**, 35/1985, pp. 49-57.
   - [**Numéro Spécial : "Damas"**] -.

KLENGEL H., "The Political Situation in Palestine and Syria as Reflected in the Amarna Tablets. - A Reconsideration",
   in : **Studies in the History and Archeology of Palestine**, Vol. II,
   - [= "Proceedings of the First International Symposium on Palestine Antiquities - Aleppo, 1986"], SHAAT Sh., Ed., (Aleppo, 1987), pp. 77-84 (1 Carte).

KLENGEL H., **Syria 3000 to 300 B.C. - A Handbook of Political History**,
(Berlin, 1992), 263 pp. + 7 Tableaux & 4 Cartes - [Ed.: Akademie Verlag]:
- [**EA** = Chap. III : "The Late Bronze Age" = pp. 84-180 :
- § 2. - "Syria at the Time of Egyptian and Hittite Overlordship
(c. 1350 - 1200 B.C.)" = pp. 100-180 :
- a) "Sources" = pp. 100-106; - b) "Outline History" = pp. 106-180 :
- Cf. Chap. V : "Indexes" = pp. 241-263 : - 1) "Text References"
= pp. 241-247 : - "Amarna (**EA**)" = pp. 243/b-244/b] :

C.R. : L[ORETZ] O., in : **U.F.**, 23/1991, pp. 450-451.

KNAPP A.B., "Alashiya, Caphtor/Keftiu, and Eastern Mediterranean Trade :
Recent Studies in Cypriote Archaeology and History. - A Review Article",
in : **Journal of Field Archaeology**, 12/1985, pp. 231-250 (2 Cartes) :
- [= C.R. de / Cp. - ad loc. -] :
- HELLBING L., **Alasia Problems**, (1979) = pp. 245-250 (§ 3),
- et de : STRANGE J., **Caphtor/Keftiu**, (1980) = pp. 234-241 (§ 1)].

KNAPP A.B., "Pots, PIXE, and Data Processing at Pella in Jordan",
in : **Bulletin of the American School of Oriental Research**, 266/1987,
pp. 1-30 :
- [**EA** : "Textual Evidence" = pp. 24-25; - "Bibliography" = pp. 28-30].

KOROŠEC V., "Mednarodni odnošaji po klinopisnih poročilih iz
el-amarnskega in hetitskega dršavnega arhiva"[en Slovène],
- [= "International Relations According to Cuneiform Reports
from the Tell el-Amarna and Hittite State Archives"],
in : **Zbornik Znanstvenih Razprav**, (Ljubljana, 23/1950), pp. 291-397 :
- [avec Résumés en Russe (pp. 384-390), - et en Anglais (pp. 390-397)].

KOROŠEC V., "Über die Entwicklung von völkerrechtlichen Beziehungen
in der El-Amarna-Zeit",
in : **Revue Internationale des Droits de l'Antiquité**,
(3° Série), 22/1975, pp. 47-70.

KOSSMANN M., "The Case System of West-Semitized Amarna Akkadian",
in : **Jaarbericht ... Ex Oriente Lux**, 30/1987-1988, pp. 38-60.

KOTTSIEPER I., "mgg - 'Krieg führen, kämpfen' ",
in : **Ugarit-Forschungen**, 20/1988, - [= **Festschrift Oswald LORETZ**] -,
pp. 125-133.

KOTTSIEPER I., **Die Sprache der Aḥiqarsprüche**, in coll.: "Beihefte
zur Zeitschrift für die Alttestamentliche Wissenschaft", Vol. 194,
(Berlin - New York, 1990), XI + 302 pp. et 9 Pls. :
- [**EA** - "Register - Stellen" = pp. 293-302 (= pp. 301-302)].

KRAHMALKOV Ch., "Northwest Semitic Glosses in Amarna Letter N° **64** : 22-23",
in : **Journal of Near Eastern Studies**, 30/1971, pp. 140-143.

KRAUSS R., **Das Ende der Amarnazeit. - Beiträge zur Geschichte und Chronologie des Neuen Reiches**, in coll. : "Hildesheimer Ägyptologische Beiträge", Vol. 7, (Hildesheim, 1978; - 2ème éd. - 1981), xv + 286 pp. :

    C.R. : HARI R., in : **Bi.Or.**, 37/1980, pp. 319-321;
          MURNANE W.J., in : **Or.**, 52/1983, pp. 274-284;
          SPALINGER A., in : **J.Am.Eg.**, 23/1986, pp. 226-228;
          WENTE E.F., in : **J.N.E.S.**, 42/1983, pp. 315-318.

KRISTENSEN A.L., "Ugaritic Epistolary Formulas : A Comparative Study of the Ugaritic Epistolary Formulas in the Context of the Contemporary Akkadian Formulas in the Letters from Ugarit and Amarna",
in : **Ugarit-Forschungen**, 9/1977, pp. 143-158 :
- [**EA** = pp. 146, 148-149, 152 et 154].

KRONASSER H., "Indisches in den Nuzi-Texten",
in : **Wiener Zeitschrift für die Kunde des Morgenlandes**, 53/1957, pp. 181-192 : - [**EA** = pp. 184-185 et 191].

KRONASSER H., "Hurrisch makanni- 'Geschenk'",
in : **Die Sprache**, 4/1958, p. 127.

KRONASSER H., "Hethitisch puppit existiert nicht",
in : **Die Sprache**, 7/1961, pp. 168-169.

KÜHNE C., "Zum Status der syro-palästinensischen Vasallen des Neuen Reiches",
in : **Andrews University Seminary Studies**, 1/1963, pp. 71-73.

KÜHNE C., **Die Chronologie der internationalen Korrespondenz von El-Amarna**, in coll. : "Alter Orient und Altes Testament", Vol. 17, (Kevelaer - Neukirchen/Vluyn, 1973), vii + 174 pp., et 2 Planches :

    C.R. : (Anon.), in : **Z.A.W.**, 86/1974, p. 255;
          BAUER J., in : **Mundus**, 16/1980, pp. 118-119;
          GAÁL E., in : **Stud. Aegypt.**, 3/1977, pp. 189-191;
          K[ITCHEN] K.A., in : **B.L.O.T.**, 1975, p. 92.

KÜHNE C., "Ammistamru und die Tochter der 'Grossen Dame' ",
in : **Ugarit-Forschungen**, 5/1973, pp. 175-184 :
- [**EA** = pp. 177 (n. 24), 178 (n. 27) et 180 (n.49)].

KÜHNE C., "Zu einer neuen Übersetzung der Amarnabriefe",
in : **Orientalia**, 62/1993, pp. 410-422 : - [Cf. MORAN W.L. (1987)].

KUSCHKE A., "Beiträge zur Siedlungsgeschichte der Bikaᶜ",
in : **Zeitschrift des Deutschen Palästina-Vereins**, 70/1954, pp. 81-120.

KUSCHKE A. - METZGER M., "Kumudi und die Ausgrabungen
auf Tell Kāmid el-Lōz",
in : **Supplement to Vetus Testamentum. - [= Congress Volume,
Uppsala 1971]**, 22/1972, pp. 143-173 (4 Fig.) et Pls. I-VI :
- [**EA** = pp. 143-144, 153-155].

LABAT R., "Le rayonnement de la langue et de l'écriture akkadiennes au
deuxième millénaire avant notre ére",
in : **Syria**, 39/1962, pp. 1-27 : - [**EA** = pp. 8-12; 19-20; 25].

LAFFORGUE G., "Les zones de dissidence en Asie Occidentale du
2ème millénaire avant J.-C.",
in : **Du Pouvoir dans l'Antiquité : Mots et Réalités**, in coll. :
"[Publications de l'] Ecole Pratique des Hautes Etudes, IV° Section",
- Série III : "Hautes Etudes du monde gréco-romain", Vol. 16,
- [= "Cahiers du Centre GLOTZ", Vol. I], (Genève - Paris, 1990),
pp. 25-36 : - [**EA** = pp. 25-26; 30; 33]. - [Ed. : Libr. Droz] -

LAMBDIN Th.O., "Egyptian Words in Tell El Amarna Letter N° **14**",
in : **Orientalia**, 22/1953, pp. 362-369.

LAMBDIN Th.O., "The Miši-People of the Byblian Amarna Letters",
in : **Journal of Cuneiform Studies**, 7/1953, pp. 75-77.

LAMBDIN Th.O., Art. : "Tell el-Amarna",
in : **The Interpreter's Dictionary of the Bible**, Vol. 4,
(New York - Nashville, 1962), pp. 529-533.

LAMBERT W.G., "A New Fragment of the King of Battle"
- [= Kleine Mitteilungen],
in : **Archiv für Orientforschung**, 20/1963, pp. 161-162.

LANDSBERGER B., " 'Hettiterland' und 'Hettiter' in den Kültepe-Tafeln",
in : **Archiv Orientalni**, 18/1950, pp. 321-329 : - [**EA** = p. 325].

LANDSBERGER B., "Assyrische Königsliste und 'Dunkles Zeitalter'",
in : **Journal of Cuneiform Studies**, 8/1954, pp. 31-46; 47-73, et 106-133 :
- [**EA** = p. 59, n. 123].

LAROCHE E., [- NOUGAYROL J.,], "Tablettes bilingue accado-hourrite",
- apud SCHAEFFER C.F.A. [Ed.], **Le Palais Royal d'Ugarit**, Vol. III/1,
in coll. : "Mission de Ras Shamra", Tome VI,   (Paris, 1955), pp. 309-324 :
- [**EA** = pp. 313-324].

LAROCHE E., "Textes hourrites",
- apud SCHAEFFER C.F.A. [Ed.], **Le Palais Royal d'Ugarit**, Vol. III/1,
in coll. : "Mission de Ras Shamra", Tome VI, (Paris, 1955), pp. 325-335 :
- [**EA** = pp. 328 (n. 1) et 329].

LAROCHE E., "Etudes hourrites",
in : **Revue d'Assyriologie**, 54/1960, pp. 187-201 :
- [**EA 24** = pp. 193-195 et 199-200].

LAROCHE E., "Documents en langue hourrite provenant de Ras Shamra"
in : **Ugaritica**, Vol. V. in coll. : "Mission de Ras Shamra", Tome XVI,
(Paris, 1968), pp. 447-544 [= Chap. II] :
- [**EA 24** = pp. 449-455; (& p. 459)].

LAROCHE E., **Glossaire de la langue hourrite**,
in : **Revue Hittite et Asianique**,
- 34/1976 (paru en 1978), pp. 1-161 = Ière Partie [A - L];
- et 35/1977 (paru en 1979), pp. 163-323 = IIème Partie [M - Z], & Index;
- [& Edition complète en 1 volume : = in coll. : "Etudes et Commentaires",
Vol. 93, (Paris, 1980), 323 pp.] :

    C.R. : GREPPIN J.A.C., in : **R.Et.Armén.**, 15/1981, pp. 309-312;
           HAAS V., in : **Bi.Or.**, 39/1982, pp. 602-606;
           WILHELM G., in : **Or.**, 54/1985, pp. 487-496.

LASK W. / Cf. ARTZI P. - LASK W. (1982 - rééd. 1987).

LAYTON S., "Biblical Hebrew 'To Set the Face' in Light of Akkadian
and Ugaritic",
in : **Ugarit-Forschungen**, 17/1985, pp. 169-181 :
- [**EA** = p. 174 (nn. 21-24)].

LEMCHE N.P., " 'Hebrew' as a National Name for Israel",
in : **Studia Theologica**, 33/1979, pp. 1-23 :
- [**EA** = p. 4 (n. 13) et p. 9 (n. 26)].

LEMCHE N.P., **Early Israel. - Anthropological and Historical Studies
on the Israelite Society Before the Monarchy**, in coll. : "Supplements
to Vetus Testamentum", Vol. XXXVII, (Leiden, 1985), XVI + 496 pp. :
- [**EA** = "Conclusion - Evolutionary Israel : An Alternative Explanation
of Israel's Origins" = pp. 411-435 : - spéct. pp. 419-420; 425-427].

    C.R. : BONORA A., in : **Riv.Bibl.(Ital.)**, 38/1990, pp. 519-521;
           COOTE R.B., in : **J.B.L.**, 108/1989, pp. 502-504;
           EDELMAN D., in : **J.N.E.S.**, 48/1989, pp. 136-140;
           HAUSER A.J., in : **C.B.Q.**, 51/1989, pp. 325-327;
           RÖSEL H.N., in : **Z.D.P.V.**, 105/1989, pp. 187-189;
           THIEL W., in : **Th.L.Z.**, 114/1989, col. 423-425;
           WILLIAMSON H.G.M., in : **V.T.**, 40/1990, pp. 249-250.

LEMCHE N.P., **The Canaanites and Their Land. - The Tradition of the Canaanites**, in coll. : "Journal for the Study of the Old Testament. - Supplement Series", Vol. 110, (Sheffield, 1991), 191 pp. :
- [**EA** : Chap. 2 : "The Canaanites and their Land in Ancient Near Eastern Documents : The 2nd Millennium B.C.E. and Later" = pp. 25-52 :
- **EA** : § (b) : "Canaan and the Canaanites in the el-Amarna Age" = pp. 28-40 (nn. 15-60)] :

C.R. : THIEL W., in : **Bibl.**, 74/1993, pp. 112-117.

LETTINGA J.P. / Cf. HOSPERS J.H. [Ed.], (1973).

LIPIŃSKI E., **La Royauté de Yahvé dans la poésie et le culte de l'Ancien Israël**, in coll. : "Verhandlingen van de Koniklijke Vlamse Academie voor Wetenschappen, Letteren en Schone Kunste van België, Kl. der Letteren", Jahrg. XXVII - 1965, N° 55, (Bruxelles, 1965), 560 pp. :
- [**EA** = pp. 136; 199; 393; 423; 428].

LIPIŃSKI E., "<u>SKN</u> et <u>SGN</u> dans le sémitique occidental du Nord", in **Ugarit-Forschungen**, 5/1973, pp. 191-207 :
- [**EA** = pp. 194 (n. 8) et 196 (nn. 21 & 32)].

LIPIŃSKI E., "Beth-Schemesch und der Tempel der Herrin der Grabkammer in den Amarna-Briefen", in : **Vetus Testamentum**, 23/1973, pp. 443-445.

LIPIŃSKI E., "An Ugaritic Letter to Amenophis III Concerning Trade with Alašiya", in : **Iraq**, 39/1977, = **Trade in the Ancient Near East, - [= Comptes Rendus de la 23° Rencontre Assyriologique Internationale, (Birmingham, 1976)]**, (London, 1977), pp. 213-217.

LIVERANI M., **Storia di Ugarit nell'età degli Archivi Politici**, in coll. : "Studi Semitici", Vol. 6, (Rome, 1962), 175 pp. : - [**EA** = pp. 11-56] :

C.R. : AMIET P., in : **Syria**, 40/1963, pp. 182-183;
BURKE M.L., in : **R.A.**, 57/1963, pp. 49-52;
CAZELLES H., in : **V.T.**, 13/1963, pp. 346-348;
EISSFELDT O., in : **Bi.Or.**, 19/1962, col. 262-263;
FREYDANK H. - SEGERT S., in : **Ar.Or.**, 33/1965, pp. 658-660;
GORDON C.H., in : **J.S.S.**, 9/1964, pp. 363-364;
H[ELTZER] M., in : **V.D.I.**, 86/1963, pp. 206-207;
HIRSCH H., in : **Z.A.**, 57/1965, pp. 307-308;
KLENGEL H., in : **O.L.Z.**, 57/1962, col. 453-462;
LAROCHE E., in : **R.H.A.**, 21/1963, Fasc. 72, p. 55;
SEGERT S. / [Cf. FREYDANK H., in : **Ar.Or.**, 33/1965];
SZLÉCHTER E., in : **Ivra**, 11/1963, pp. 371-373;
ULLENDORF E., in : **B.L.O.T.**, 1962, pp. 59-60;
V[AUX] R. DE, in : **R.B.**, 70/1963, pp. 629-630.

LIVERANI M., "Ḫurri e Mitanni",
   in : **Oriens Antiquus**, 1/1962, pp. 253-257.

LIVERANI M., "Antecedenti del Diptotismo Arabo nei Testi Accadici
   di Ugarit",
   in : **Rivista degli Studi Orientali**, 38/1963, pp. 131-160 :
   - [**EA** = pp. 153-154].

LIVERANI M., "Il Fuoruscitismo in Siria nella Tarda Eta del Bronzo",
   in : **Rivista Storica Italiana**, 77/1965, pp. 315-336 :
   - [**EA** = pp. 320-327] :

   C.R. : S[OGGIN] J.A., in : **Z.A.W.**, 79/1967, pp. 253-254.

LIVERANI M., "Implicazioni Sociali nella Politica di Abdi-Ashirta
   di Amurru",
   in : **Rivista degli Studi Orientali**, 40/1965, pp. 267-277.

LIVERANI M., "Contrasti e Confluenze di Concezioni Politiche
   nell'età di El-Amarna",
   in : **Revue d'Assyriologie**, 61/1967, pp. 1-18 :

   C.R. : HELTZER M., in : **Vopr.Istorii**, 5/1969, pp. 203-204.

LIVERANI M., "Le lettere del Faraone a Rib-Adda",
   in : **Oriens Antiquus**, 10/1971, pp. 253-268.

LIVERANI M., "Elementi 'irrazionali' nel commercio amarniano",
   in : **Oriens Antiquus**, 11/1972, pp. 297-317.

LIVERANI M., "Memorandum on the Approach to Historiographic Texts",
   in : **Orientalia**, 42/1973, - [= **Approaches to the Study of Ancient Near
   East. - A Volume of Studies offered to I.J. GELB ...**], BUCCELLATI
   G., Ed., (Roma - Los Angeles, 1973), pp. 178-194 : - [**EA** = pp. 184-188].

LIVERANI M., "Rib-Adda, giusto sofferente",
   in : **Altorientalische Forschungen**, Vol. I, in coll. : "Schriften zur
   Geschichte und Kultur des Alten Orients", Vol. 11, (Berlin, 1974),
   pp. 175-205.

LIVERANI M., "La Royauté syrienne de l'âge du Bronze Récent",
   in : **Le Palais et la Royauté (Archéologie et Civilisation)**, [= **Comptes
   Rendus de la 19° Rencontre Assyriologique Internationale, (Paris,
   29 Juin - 2 Juillet 1971)**], GARELLI P., Ed., (Paris, 1974), pp. 329-356.

LIVERANI M., "Communautés de village et Palais royal dans la Syrie
   du IIème millénaire",
   in : **Journal of the Economic and Social History of the Orient**,
   18/1976, pp. 146-164 : - [**EA** = pp. 154-155 et 160].

LIVERANI M., Art. : "Ras Shamra (Ugarit)",
   in : **Dictionnaire de la Bible. - Supplément**, CAZELLES H. - FEUILLET
   A., Eds., Tome IX, (Paris, 1979), col. 1124-1466 :
   - [- Chap. II : "Histoire" = col. 1295-1348 : - **EA** = col. 1298-1305].

LIVERANI M., **Three Amarna Essays**, in coll. : "Monographs on the Ancient
   Near East" [= **M.A.N.E.**], Vol. 1/5, (Malibu, 1979), 34 pp. [cf. - Supra] :
   - [Ed. : Undena Publications] -
   - ["Introduction" = pp. 1-2, par JAFFE M.L., & Trad. angl. de :
   - in : **Oriens Antiquus**, 10/1971, pp. 253-268 = pp. 1-13;
   - in : **Rivista degli Studi Orientali**, 40/1965, pp. 267-277 = pp. 14-20;
   - et in : **Oriens Antiquus**, 11/1972, pp. 297-317 = pp. 21-33;
   & "Selected Bibliography of M.L." = p. 34] :

   C.R. : MILLARD A.R., in : **B.L.O.T.**, 1981, p. 108.

LIVERANI M., "Farsi Ḫabiru",
   in : **Egitto e Vicino Oriente** (Pisa), 2/1979, pp. 65-77.

LIVERANI M., "Dono, tributo, commercio : ideologia dello scambio
   nella tarda età del Bronzo",
   in : **Annali dell'Istituto Italiano di Numismatica**, 1979, pp. 9-28
   - [& "Discussione" = pp. 123-137].

LIVERANI M., "Stereotipi della lingua 'altra' nell'Asia anteriore antica",
   in : **Egitto e Vicino Oriente** (Pisa), 3/1980, pp. 15-31.

LIVERANI M., "Political Lexicon and Political Ideologies in the
   Amarna Letters",
   in : **Berytus**, 31/1983, [= **Language and History in the Ancient Near
   East. - Proceedings of ... the American University of Beirut,
   14 - 16 May 1981**], pp. 41-56.

LIVERANI M., "Communautés rurales dans la Syrie du II° Millénaire a.C.",
   in : **Les communautés rurales**, - Tome II : **Antiquité**, in coll. : "Recueils
   de la Société Jean BODIN", Vol. 41, (Paris, 1983), pp. 147-185.

LIVERANI M., "Aziru, servitore di due padroni",
   in : **Studi Orientalistici in Ricordo di Franco PINTORE**,
   CARRUBA O. - LIVERANI M. - ZACCAGNINI C., Eds., in coll. :
   "Studia Mediterranea", Vol. 4, (Pavia, 1983), pp. 93-121 :

   C.R. : MARAZZI M., in : **W.d.O.**, 16/1985, pp. 167-168.

LIVERANI M., "Contatti linguistici e incomprensioni ideologiche
   nelle lettere di el-Amarna",
   in : **Commercia Linguae** (Pavia), 1989, pp. 31-43.

LIVERANI M., **Prestige and Interest. - International Relations in the Near East, ca. 1600 - 1100 B.C.**, in coll. : "History of the Ancient Near East. - Studies", Vol. 1, (Padova, 1990), 313 pp. : - [Ed. : Sargon srl] -

C.R. : LAFONT S., in : **R.H.D.**, 70/1992, p. 98;
SOGGIN J.A., in : **Z.A.W.**, 103/1991, p. 543.

LIVERANI M., "A Seasonal Pattern for the Amarna Letters",
in : **Lingering over Words. - Studies in Ancient Near Eastern Literature in Honor of William L. MORAN**, ABUSCH T. - HUEHNERGARD J. - STEINKELLER P., Eds., in coll. : "Harvard Semitic Studies", Vol. 37, (Atlanta, 1990), pp. 337-348. - [Ed. : Scholars Press] -

LORETZ O., / Cf. DIETRICH M. (1969).

LORETZ O., / Cf. DIETRICH M. (1985).

LORETZ O., "EN(ri) = IWRI in **EA 286**",
in **Ugarit-Forschungen**, 6/1974, p. 485.

LORETZ O., "Zu LÚ.MEŠ SA.GAZ.ZA a-bu-ur-ra in den Briefen von Tell Kamid el-Loz",
in : **Ugarit-Forschungen**, 6/1974, p. 486.

LORETZ O. - MAYER W., "Die Glossen mi-ke-tu und ia-pa-aq-ti in **EA 64**, 22-23",
in : **Ugarit-Forschungen**, 6/1974, pp. 493-494.

LORETZ O., **Habiru - Hebräer. - Eine sozio-linguistische Studie über die Herkunft des Gentiliziums ˁibrî vom Appellativum ḫabiru**, in coll. : "Beihefte zur Zeitschrift für die Alttestamentliche Wissenschaft", Vol. 160, (Berlin-New York, 1984), XV + 314 pp. : - [Ed. Walter de Gruyter] -
- [**EA** : "Indices" = pp. 306-314 (= p. 306/A), spéct. :
- Kap. 3 : "Die ḫabirū-Frage in der Altorientalistik" = pp. 56-82] :

C.R. : BRIEND J., in : **R.S.R.**, 74/1986, pp. 627-628;
CAQUOT A., in : **Syria**, 63/1986, pp. 442-443;
CARENA O., in : **Riv.Bibl.(It.)**, 35/1987, pp. 94-95;
EMERTON J., in : **B.L.O.T.**, 1985, pp. 153-154;
ENGEL H., in : **Biblica**, 67/1987, pp. 287-291;
FISCHER G., in : **Z.K.Th.**, 107/1985, pp. 198-199;
GROSS W., in : **Th.Q.**, 165/1985, pp. 329-331;
HAUSER A.J., in : **C.B.Q.**, 48/1986, pp. 540-541;
HERRMANN W., in : **O.L.Z.**, 81/1986, col. 570-571;
KREBERNIK M., in : **Z.A.**, 75/1985, pp. 150-152;
KUTSCH E., in : **A.f.O.**, 33/1986, pp. 106-109;
LIPIŃSKI E., in : **Bi.Or.**, 42/1985, col. 562-567;

.../...

NA'AMAN N., in : **J.N.E.S.**, 47/1988, pp. 192-194;
NOBILE M., in : **Antonianum**, 61/1986, pp. 175-177;
RAINEY A.F., in : **J.A.O.S.**, 107/1987, pp. 539-541;
R[ÖLLIG] W., in : **Z.D.M.G.**, 136/1986, p. 640;
SCHARBERT J., in : **B.Z.**, 31/1987, pp. 132-134;
SCHMID H., in : **Judaica**, 41/1985, pp. 248-249;
SCHMITT H.C., in : **Z.A.W.**, 97/1985, pp. 284-285;
SODEN W. VON, in : **U.F.**, 16/1984, pp. 364-368.

LORTON D., **The Juridical Terminology of International Relations
in Egyptian Texts Through Dyn. XVIII**, in coll. : "The Johns
Hopkins Near Eastern Studies", Vol. 4, (Baltimore -London,
1974), x + 198 pp : - [Ed. : The J. Hopkins Univ. Press] -
- [**EA** = pp. 3-4 (n. 4); 9-10 & p. 42 (n. 12); pp. 16-17 & p. 45 (n. 34-35);
p. 33 & pp. 56-57 (n. 133); p. 39 (§ Y) & p. 59 (nn. 3-4); pp. 62-63
& pp. 67-68 (nn. 28; 31-32; 36-39); p. 78 & p. 152 (n. 9); p. 82 & p. 153
(n. 3); p. 100 & p. 158 (n. 41); pp. 114-115 & pp. 162-163 (n. 5); p. 118
& p. 164 (n. 10); p. 124 & p. 167 (n. 16); pp. 126-127 & p. 168 (n.5);
p. 135 & p. 170 (n. 17); p. 140 & p. 172 (n. 11); p. 144
& p. 173 (nn. 22-25); - sans "Index des textes" <!> -
- "Akkadian Index" = pp. 197-198; - "Hebrew Index" = p. 198].

C.R. : REDFORD D.B., in : **J.E.A.**, 63/1977, pp. 183-184.

MACDONALD J., [- CUTLER B.], "An Akkadian Cognate to Ugaritic
BRLT",
in : **Ugarit-Forschungen**, 5/1973, pp. 67-70: - [**EA** = p. 69].

McCARTER P.K. "Rib-Adda's Appeal to Aziru (**EA 162**, 1-21)",
in : **Oriens Antiquus**, 12/1973, pp. 15-18.

MAIBERGER P., "Die Syrische Inschriften von Kāmid el-Lōz und die Frage
der Identität von Kāmid el-Lōz und Kumidi",
in : **Kāmid el-Lōz - Kumidi. - Schriftdokumente aus Kamid el-Loz**,
in coll. : "Saarbrücker Beiträge zur Altertumskunde", Vol. 7, (Bonn, 1970),
pp. 11-21, et Fig. 2 (= p. 23/b).

MALAMAT A., "Campaigns of Amenhotep II and Thutmose IV to Canaan.
- A Discussion of Possible Epigraphic Evidence from Palestine",
in : **Studies in the Bible**, [RABIN C., Ed.], in coll. : "Scripta Hierosolymitana", Vol. 8, (Jerusalem, 1961), pp. 218-231.

MALAMAT A. [Ed.], **Sources for Early Biblical History, the Second
Millenium B.C.**, [Hebr.], (Jerusalem, 1964), xi + 386 pp., et 2 Planches;
- 2° éd. complétée, (Jerusalem, 1970), xi + 218 pp., 1 Carte;
- 3° éd. (rev. & enlarg.), (Jerusalem, 1977), xi + 217 pp., 12* pp., 1 Carte :

C.R. : GREENGUS S., in : **Or.**, 50/1981, pp. 111-112;
JANSSEN E., in : **O.L.Z.**, 75/1980, col. 339-340.

MALUL M., **Studies in Mesopotamian Legal Symbolism**, in coll. :
"Alter Orient und Altes Testament", Vol. 221, (Kevelaer - Neukirchen/
Vluyn, 1988), xiii + 512 pp. :
- [Part One : "Law of Persons" = pp. 40-208 :
- Chap. III : "Marriage and Divorce" = pp. 160-208 : - § 1. = pp. 161-179 :
- **EA** = pp. 161-164 et 170-172; - cp. : "Indices" - II. "Sources" :
- A. "Cuneiform Sources" = pp. 491-5O6 (= p. 496)].

MANGANO M.J., **Rhetorical Content in the Amarna Correspondence**
from the Levant (Egypt),
- Ph.D. Diss., Hebrew Union College - Cincinnati (1990), 224 pp. :
- Cf. : **Dissertation Abstracts International**, 51/1990,
(Section 05-A), p. 1593/A. - [Order N° : AAC 9028107].

MARCUS D., "A Famous Analogy of Rib-Haddi",
in : **Journal of the Ancient Near Eastern Society**, 5/1973, pp. 281-286 :
- [= **The GASTER Volume**] -.

MARFOE L., "The Integrative Transformation: Patterns of Socio-Political
Organization in Southern Syria",
in : **Bulletin of the American School of Oriental Research**, 234/1979,
pp. 1-42 (9 Fig. & Cartes) : - [**EA** = pp. 14-15 et p. 36 (nn. 10-11 et 14)].

MARTIN G.Th., **A Bibliography of the Amarna Period and its Aftermath.**
- The Reigns of Akhenaten, Smenkhkare, Tutankhamun and Ay
(c. 1350-1321 B.C.), in coll. : "Studies in Egyptology", (London - New
York, 1991), 136 pp. (= 2013 N°). - [Ed. : Kegan Paul International] -

MATTHEWS V.H. - BENJAMIN D.C., **Old Testament Parallels: Laws and**
Stories from the Ancient Near East, (New York - Mahwah/N.J., 1991),
vii + 276 pp. (122 Figs.). - [Ed. : Paulist Press]
- [Chap. (IV/1) : "The El Amarna Letters" = pp. 77-80 (& Figs. 38-40)].

MAYER W. / Cf. LORETZ O. - MAYER W., (1974/c).

MAYER W. / Cf. DIETRICH M. - MAYER W., (1991).

MAYRHOFER M., "Eine neue Ta'anach-Tafel und ein indo-arischer Name",
in : **Anzeiger der Osterreichischen Akademie der Wissenschaften,**
Philosophische-Historische Klasse, 109/1972, (Nr. 14), pp. 119-121.

MEER P. VAN DER, **The Chronology of Ancient Western Asia and**
Egypt, with a Synchronistic Table...,
2° éd. rév., (Leyde, 1955), 95 pp. et 4 Pls. : - [**EA** = pp. 16-18].

MEER P. VAN DER, "The Chronological Determination of the Mesopotamian
Letters in the El-Amarna Archives",
in : **Jaarbericht ... van het Vooraziatisch-Egyptisch Genootschaft**
'Ex Oriente Lux', 15/1957-1958, pp. 74-96.

MELTZER E.S., "The Cuneiform List of Egyptian Words from Amarna :
How Useful is it Really for Reconstructing the Vocalization of Egyptian ?",
in : **Varia Aegyptologica**, 4/1988, pp. 55-62 : - [= **EA 368**] -.

MENDENHALL G.E., "Puppy and Lettuce in Northwest-Semitic Covenant
Making",
in : **Bulletin of the American Schools of Oriental Research**,
133/1954 (Febr.), pp. 26-30 : - [**EA, 74,** l. 37 = p. 29].

MENDENHALL G.E., **The Tenth Generation. - The Origins of
the Biblical Tradition**, (Baltimore - London, 1973), xviii + 248 pp. :
- [Ed. : The Johns Hopkins University Press] -
- [**EA** : - Chap. III : "The 'Vengeance' of Yahweh" = pp. 69-104 :
- § (b/i) - "Defensive Vindication. - Extrabiblical Sources" = pp. 77-82,
& § (b/ii) " ... in the Bible" = pp. 82-84;
- Chap. V: "The ʿApiru Movements in the Late Bronze Age" = pp. 122-141:
(**EA** = pp. 122-135, dont "Table I" - p. 123);
- & "Index" = pp. 237-248 (= p. 237/b): pp. 15; 23; 29; 91; 94; 97; 107;
142; 147-148; 155-156; 173; 188-191; 205; 207; 218; 221].

MERRILLEES R.S., **Alashia Revisited**, in coll. : "Cahiers de la Revue
Biblique", Vol. 22, (Paris, 1987), 87 pp. & 2 Tables :
- [**EA** = pp. 13-19; 22-27; 43-49; 53-59; 63; 70; 74 (= Table II/A)
- cf. "Index" - p. 86/A] :

   C.R. : KNAPP A.B., in : **Bi.Or.**, 47/1990, col. 797-800;
          PASSONI dell'ACQUA A., in : **Aegyptus**, 68/1988, p. 28;
          PUECH E., in : **R.B.**, 98/1991, pp. 600-602.

MEYER G.R., "Das Archiv von Tell el-Amarna - eine wichtige historische
Quelle",
in : **Tutankhamon i ego vrema**, DANILOVA I.E. - KATZNELSON I.S.,
Eds., (Moscow, 1976), pp. 96-106.

MICHAELI F., "Tablettes de Tell-el-Amarna", [= Chap. II/C],
in : **Textes de la Bible et de l'Ancien Orient**, in coll. : "Cahiers d'Archéologie Biblique", Vol. 13, (Neuchâtel, 1961), pp. 35-40 et Planche III.

MILLARD A.R., "A Letter from the Ruler of Gezer",
in : **Palestine Exploration Quarterly**, 97/1965, pp. 140-143, et Pl. XXV.

MILLARD A.R., "In Praise of Ancient Scribes",
in : **Biblical Archeologist**, 45/1982 (Summer), pp. 143-154 (9 Figs.) :
- [**EA 282** = pp. 146/C-147/A (Autogr. - Transcr. - Trad.)].

MOHAMMAD A.-K., "The Administration of Syro-Palestine
during the New Kingdom",
in: **Annales du Service des Antiquités de l'Egypte**, 56/1959, pp. 105-137.

MONTE G.F. DEL, "Niqmadu di Ugarit e la Rivolta di Tette di Nuḫašše
(RS 17.334)",
in : **Oriens Antiquus**, 22/1983, pp. 221-231 : - [**EA** = pp. 225-226].

MORAN W.L., **A Syntactical Study of the Dialect of Byblos as Reflected
in the Amarna Tablets**,
- Unpubl. Ph.D. Diss. - Johns Hopkins Univ., (Baltimore, 1950), 190 pp.

MORAN W.L., / Cf. ALBRIGHT W.F. (1950).

MORAN W.L., "The Use of the Canaanite Infinitive Absolute as a Finite Verb
in the Amarna Letters from Byblos",
in : **Journal of Cuneiform Studies**, 4/1950, pp. 169-172.

MORAN W.L., "New Evidence on Canaanite taqtulū(na)",
in : **Journal of Cuneiform Studies**, 5/1951, pp. 33-35.

MORAN W.L., " 'Does Amarna Bear on Karatepe ?' - An Answer",
in : **Journal of Cuneiform Studies**, 6/1952, pp. 76-80.

MORAN W.L., "Amarna šumma in Main Clauses",
in : **Journal of Cuneiform Studies**, 7/1953, pp. 78-80.

MORAN W.L., "Early Canaanite yaqtula",
in : **Orientalia**, 29/1960, pp. 1-19.

MORAN W.L, "The Hebrew Language in its Northwest Semitic Background",
in : **The Bible and the Ancient Near East. - Essays in Honor of William
Foxwell ALBRIGHT**, WRIGHT G.E., Ed, (Garden City, 1961), pp. 54-72;
- Rééd. anastat.: (Winona Lake, 1979) - [Ed.: Eisenbrauns] -.

MORAN W.L., "The Ancient Near Eastern Background of the Love of God
in Deuteronomy",
in : **The Catholic Biblical Quarterly**, 25/1963, pp. 77-87 :
- [**EA** = pp. 79-83].

MORAN W.L., "A Note on the Treaty Terminology of the Sefire Stelas",
in : **Journal of Near Eastern Studies**, 22/1963, pp. 173-176 :
- [**EA** = pp. 174 (nn. 13-18); 175 (nn. 19-23)].

MORAN W.L., "*taqtul - Third Masculine Singular?",
in : **Biblica**, 45/1964, pp. 80-82.

MORAN W.L., "The Death of Abdi-Aširta",
in : **Eretz-Israel**, 9/1969, [= **W.F. ALBRIGHT Volume**],
MALAMAT A., Ed., pp. 94*-99*.

MORAN W.L., Art. : "Tell El-Amarna Letters",
in : **Encyclopaedia Judaica**, Vol. 15, (Jerusalem, 1971), col. 933-935.

MORAN W.L., "The Dual Personal Pronouns in Western Peripheral Akkadian",
  in : **Bulletin of the American School of Oriental Research**,
  211/1973 (Oct.), pp. 50-53.

MORAN W.L., "Amarna Glosses",
  in : **Revue d'Assyriologie**, 69/1975, pp. 147-158.

MORAN W.L., "The Syrian Scribe of the Jerusalem Amarna Letters",
  in : **Unity and Diversity. - Essays in History, Literature and Religion
  of the Ancient Near East**, GOEDICKE H. - ROBERTS J.J.M., Eds.,
  (Baltimore - London, 1975), pp. 146-166 (dont 2 Planches).

MORAN W.L., "Putative Akkadian šukammu",
  in : **Journal of Cuneiform Studies**, 31/1979, pp. 247-248.

MORAN W.L., "Additions to the Amarna Lexicon",
  in : **Orientalia**, 53/1984, pp. 297-302.

MORAN W.L., "Rib-Hadda: Job at Byblos ?",
  in : **Biblical and Related Studies Presented to Samuel IWRY**,
  KORT A. - MORSCHAUSER S., Eds., (Winona Lake, 1985), pp. 173-181.

MORAN W.L. [e.a.], **Les Lettres d'El-Amarna. - Correspondance diplomatique du Pharaon**, (Traduction de MORAN W.L., avec la collaboration de HAAS V. [Trad. **EA 31-32**] et WILHELM G. [Trad. **EA 24**],
- Trad. franç. de COLLON D. et CAZELLES H.), in coll. : "Littératures
Anciennes du Proche-Orient", Vol. 13, (Paris, 1987), 627 pp.
(dont 2 Cartes = pp. 569-571); - ["Répertoire des noms propres"
= pp. 573-605; - "Lexique" = pp. 607-618]. - [Ed. du Cerf] -

C.R. : BONNET C., in : **Et.Class.**, 58/1990, p. 92;
      DAVIES G.I., in : **J.Th.S.**, 40/1989, p. 342;
      EDZARD D.O., in : **Z.A.**, 79/1989, pp. 128-129;
      FENSHAM F.C., in : **J.N.S.L.**, 14/1988, p. 223;
      FITZGERALD A., in : **O.T.Abstr.**, 12/1989, p. 731 (N° 734);
      FITZGERALD A., in : **C.B.Q.**, 52/1990, pp. 327-328;
      GARELLI P., in : **C.R.A.I.B.L.**, 1987, pp. 476-477;
      HEINTZ J.-G., in : **R.H.Ph.R.**, 71/1991, pp. 201-202;
      HIRSCH H., in : **W.Z.K.M.**, 80/1990, pp. 273-277;
      IZRE'EL Sh., in : **Bi.Or.**, 47/1990, col. 577-604
                          [dont col. 598-604 = "Bibliographical List";
      KÜHNE C., in : **Or.**, 62/1993, pp. 410-422 [Cf. /];
      KLENGEL H., in : **O.L.Z.**, 84/1989, col. 670-671;
      LIVERANI M., in : **R.S.O.**, 63/1989, pp. 168-171;
      MILLARD A.R., in : **B.L.O.T.**, 1988, p. 125;
      POSTGATE J.N., in : **V.T.**, 40/1990, pp. 254-255;
      RAINEY A.F., in : **Bibl.**, 70/1989, pp. 566-572;
      RAINEY A.F., in : **A.f.O.**, 36-37/1989-1990, pp. 56-75;
      S[CHMITT] H.-C., in : **Z.A.W.**, 100/1988, p. 147;
      SIGRIST M., in : **R.B.**, 96/1989, p. 589.

MORAN W.L., "Join the ʿApiru or Become One ?",
in : **"Working With No Data". - Semitic and Egyptian Studies Presented to Thomas O. LAMBDIN**, GOLOMB D.M. - HOLLIS S.T., Eds., (Winona Lake, 1987), pp. 209-212. - [Ed. : Eisenbrauns].

MORAN W.L., **The Amarna Letters** [Edited and Translated by ...], (Baltimore - London, 1992), xlvii + 393 pp. (& 1 Carte).
- [Ed. : The Johns Hopkins University Press] -

MOSCATI S., **I Predecessori d'Israele. Studi sulle piu Antiche Genti Semitiche in Siria e Palestina**, in coll. : "Studi Orientali Pubblicati a Cura della Scuola Orientale", Vol. IV, (Roma, 1956), 140 pp. et V Planches :
- [**EA** = pp. 45-52, 59-67 et 101-114].

MÜLLER H.-P., "Wie alt ist das jungsemitische Perfekt ?
- Zum Semitisch - Ägyptischen Sprachvergleich",
in : **Studien zur Altägyptischen Kultur**, 11/1984, - [= **Festschrift Wolfgang HELCK zu seinem 70. Geburtstag**, ALTENMÜLLER H. - WILDUNG D., Eds., (Hamburg, 1984)], pp. 365-379 :
- [**EA** : § I/2. - "Prosasprache der Amarnabriefe" = p. 368;
- § I/3. - "Amurritische Personennamen" = pp. 369-371 (= p. 370);
- § II/2 = pp. 377-378 (nn. 69-78)].

MUNTINGH L.M., "The International Amarna Correspondence and Western Asian Diplomacy in the Amarna Age (14th Century B.C.),
in : **Proceedeings of the Ninth International Symposium on Asian Studies, 1987** - Section V : **Asia and Other Regions**, (Hong Kong, 198_), pp. 515-526 (p. 526 : 1 Carte). - [Ed.: Asian Research Serv., Hong Kong]

MUNTINGH L.M., "Problems in Connection with Verbal Forms in the Amarna Letters from Jerusalem, with Special Reference to **EA 286**",
in : **Journal for Semitics**, 1/1989, pp. 244-256.

MUNTINGH L.M., "Syro-Palestinian Problems in the Light of the Amarna Letters",
in : **Bulletin of the Middle Eastern Culture Center in Japan**,
- [= **Essays on Ancient Anatolian and Syrian Studies in the 2nd and 1st Millennium B.C.**, H.I.H. [Prince] T. MIKASA, Ed., (Wiesbaden, 1991)], 4/1991, pp. 155-194. - [Ed. : O. Harrassowitz] -

MURNANE W.J., **The Road to Kadesh. - A Historical Interpretation of the Battle Reliefs of King Sety I at Karnak**, in coll. : "Studies in Ancient Oriental Civilizations",Vol. 42, (Chicago, 1985), xx + 252 pp. (3 Cartes) : - [Ed. : The University of Chicago Press] -
- [**EA** : - Chap. I : "Egypt's Relations with Hatti, from the Amarna Period down to the Opening of Sety I's Reign" = pp. 1-51 : - (**EA** = pp. 1-31);
- Appendix 6 : "Syria in the Amarna Age : Problems and Perpectives" = pp. 177-242 : - (**EA** = pp. 177-222); - & "Index" : **EA** = pp. 243-244] :

.../...

C.R. : HAIDER P.W., in : **Bi.Or.**, 47/1990, col. 74-85;
KITCHEN K.A., in : **J.E.A**, 76/1990, pp. 237-238;
KITCHEN K.A., in : **O.L.Z.**, 87/1992, col. 522-523;
LIVERANI M., in : **J.A.O.S.**, 109/1989, pp. 504-505;
SCHULMAN A.R., in : **J.N.E.S.**, 48/1989, pp. 48-50.

NA'AMAN N., **The Political Disposition and Historical Development
of Eretz-Israel According to the Amarna Letters** - [Hébr.], 2 Volumes :
- Unpubl. Ph.D. Diss., (Université de Tel Aviv, 1975), 242 + 84 pp. :
- [avec "Résumé" en Anglais = pp. I-XVIII].

NA'AMAN N.,"The Origin and Historical Background of Several
Amarna Letters",
in : **Ugarit-Forschungen**, 11/1979, pp. 673-684.
- [= **Festschrift für Cl.F.A. SCHAEFFER ...**] -.

NA'AMAN N., "Economic Aspects of the Egyptian Occupation of Canaan",
in : **Israel Exploration Journal**, 31/1981, pp. 171-185 :
- [**EA** = § 2. - "The Economic Data of the Amarna Tablets" = pp. 174-181;
- & "Conclusions" = pp. 182-185].

NA'AMAN N., "The Town of Ibirta and the Relations of the ʿApiru
and the Shosu",
in : **Göttinger Miszellen**, 57/1982, pp. 27-33.

NA'AMAN N., **Borders and Districts in Biblical Historiography. - Seven
Studies in Biblical Geographical Lists**, in coll. : "Jerusalem Biblical
Studies", Vol. 4, (Jerusalem, 1986), 275 pp. [7 Cartes, & 6 pp. en Hébr.] :
- [**EA** = "Index of Geographical Names" = pp. 267-275 (= p. 267/A - s.v.):
= pp. 47; 55; 78; 124; 129; 133; 188] : - [Ed. : Simor Ltd.] -

C.R. : CHIESA B., in : **Henoch**, 11/1989, pp. 368-369;
DAVIES P.R., in : **J.S.O.T.**, 41/1988, p. 117;
EDELMAN D., in : **J.N.E.S.**, 49/1990, pp. 83-88;
FRICK F.S., in : **Bi.Or.**, 46/1989, col. 406-408;
GREENSPAHN F.E., in : **C.B.Q.**, 51/1989, pp. 130-131;
KALLAI Z., in : **J.Q.R.**, 80/1989, pp. 163-168;
RAINEY A.F., in : **Abr-Nahar.**, 27/1989, pp. 176-184;
WIFALL W.R., in : **J.B.L.**, 107/1988, pp. 114-115.

NA'AMAN N., "Ḫabiru and Hebrews : The Transfer of a Social Term
to the Literary Sphere",
in : **Journal of Near Eastern Studies**, 45/1986, pp. 271-288 :
- [**EA** = § II. - "The Ḫabiru in the Amarna Letters : From Social Appella-
tion to Expression of Derogation" = pp. 275-278 (et pp. 281; 284, n. 45)].

NA'AMAN N., "The Canaanite City-States in the Late Bronze Age
and the Inheritances of the Israelite Tribes" [en Hébreu],
in : **Tarbiz**, 55/1986, pp. 463-488.

NA'AMAN N., "Historical-Geographical Aspects of the Amarna Letters",
in : **Proceedings of the Ninth World Congress of Jewish Studies (1986)** :
- Panel Sessions : **"Bible Studies and Ancient Near East"**, (Jerusalem,
1988), pp. 17-26.

NA'AMAN N., "Biryawaza of Damascus and the Date of the Kāmid el-Lōz
ʿApiru Letters",
in : **Ugarit-Forschungen**, 20/1988, pp. 179-193.
- [= **Festschrift Oswald LORETZ**] -.

NA'AMAN N., "Praises to the Pharaoh in Response to his Plans for
a Campaign to Canaan",
in: **Lingering over Words. - Studies in Ancient Near Eastern Literature
in Honor of William L. MORAN**, ABUSCH T. - HUEHNERGARD J. -
STEINKELLER P., Eds., in coll. : "Harvard Semitic Studies", Vol. 37,
(Atlanta, 1990), pp. 397-405. - [Ed. : Scholars Press] -.

NA'AMAN N., "On Gods and Scribal Traditions in the Amarna Letters",
in : **Ugarit-Forschungen**, 22/1990, pp. 247-255.

NA'AMAN N., "Amarna ālāni pu-ru-zi (**EA 137**) and Biblical ʿry hprzy /
hprzwt ('rural settlements')",
in : **Zeitschrift für Althebraistik**, 4/1991, pp. 72-75.

NA'AMAN N., Art. : "Amarna Letters",
in : **The Anchor Bible Dictionary**, FREEDMAN D.N., Ed.,
- Vol. 1 [A - C], (New York - London, 1992), pp. 174-181 :
- ["Bibliography" = pp. 180-181].

NA'AMAN N., "Canaanite Jerusalem and its Central Hill Country Neighbours
in the Second Millennium B.C.E.",
in : **Ugarit-Forschungen**, 24/1992, pp. 275-291 :
- [**EA** = pp. 276-277; 287].

NAKATA I., "Scribal Particularities in **EA : 285 - 290**",
in : **Journal of the Ancient Near Easter Society**, 2/1969, pp. 19-24.

NEWGROSH B. / Cf. ROHL D. - NEWGROSH B. (1988).

NIBBI A., **Canaan and Canaanite in Ancient Egypt**, (s.l., 1989), 128 pp.
(dont 27 Figs. & XVI Planches) : - [Ed. : Bocardo Press] -
- [**EA** = Chap. 6 : "The Reference to Canaan in the Amarna Letters"
= pp. 61-65, & "Index" = p. 127/A].

NITZAN Sh., **The Jerusalem Letters from the el-ʿAmârna Archive.
- Linguistic Aspects**, - [en Hébreu, résumé en Anglais] -,
- Unpubl. M.A. Thesis, (Tel Aviv University, 1973), 2* + 109 pp.

NORTH R., "Akhenaten Secularized ?",
  in : **Biblica**, 58/1977, pp. 246-258 :
  - [= C.R. de : ALDRED C., in : **C.A.H.**, 3° éd., Vol. II/2,
  (Cambridge, 1975) - Chap. XIX].

NOUGAYROL J., **Le Palais Royal d'Ugarit** - Vol. IV/1 : **Textes Accadiens des Archives Sud (Archives internationales)**, in coll. : "Mission de Ras Shamra", Tome IX, (Paris, 1956), 300 pp. : - [**EA** = pp. 27-34].

OBERMANN J., "Does Amarna Bear on Karatepe ?",
  in : **Journal of Cuneiform Studies**, 5/1951, pp. 58-61.

OPPENHEIM A.L., "Mesopotamian Mythology (III) :
  - N° 42) : - Br.M. Bu. 88-10-13,79, Line 10",
  in : **Orientalia**, 19/1950, pp. 129-158 : - [**EA** (N° **357**) = pp. 147-154].

OPPENHEIM A.L., "A Note on the Scribe in Mesopotamia",
  in : **Studies in Honour of B. LANDSBERGER...**, in coll. : "Assyriological Studies", Tome 16, (Chicago, 1965), pp. 253-256 : - [**EA** = pp. 254-256].

OPPENHEIM A.L., "Middle Babylonian Letters" [= Chap. 5],
  - "Letters of the Amarna Correspondence" [= Chap. 6],
  in : **Letters from Mesopotamia. - Official, Business, and Private Letters on Clay Tablets from Two Millenia**, (Chicago, 1967), xii + 217 pp. :
  - [**EA** = pp. 113-116 (= Chap. 5/a), et pp. 119-134 (= Chap. 6)].

OPPENHEIM A.L., "Towards a History of Glass in the Ancient Near East",
  in : **Journal of the American Oriental Society**, 93/1973, pp. 259-266 :
  - [**EA** = pp. 260-261].

OTTEN H., "Hethitische Schreiber in ihren Briefen",
  in: **Mitteilungen des Instituts für Orientforschung**, 4/1956, pp. 179-189:
  - [**EA** = pp. 185].

OTTO E., Art. : "Jerusalem",
  in : **Reallexikon der Assyriologie**, Vol. V, (Berlin - New York, 1976-1980), pp. 278/B-281/A : - [**EA** = pp. 279-280/A].

OTTO E., "El und Jhwh in Jerusalem. - Historische und theologische Aspekte einer Religionsintegration",
  in : **Vetus Testamentum**, 30/1980, pp. 316-329 : - [**EA** = pp. 322-323].

PARDEE D. - WHITING R.M., "Aspects of Epistolary Verbal Usage in Ugaritic and Akkadian",
  in : **Bulletin of the School of Oriental and African Studies**, 50/1987, pp. 1-31 : - [**EA** = pp. 13 (n. 30); 14-17 = §§ VII - X].

PARROT A., **Le Musée du Louvre et la Bible**, in coll. : "Cahiers d'Archéologie Biblique", Vol. 9, (Neuchâtel, 1957), 166 pp. :
- [Chap. 3 : "Lettres d'el-Amarna" = pp. 33-37].

PERLMAN I., / Cf. ARTZY M., etc. (1976).

PFEIFFER Ch.F., **Tell El Amarna and the Bible**, in coll. : "Baker Studies in Biblical Archaeology", (Grand Rapids, 1963), 75 pp. (18 Figs., 1 Carte & 1 Plan); - [2° rééd. (anast.) - 1970; 3° rééd. (anast.) - 1976].
- [Ed. : Baker Book House] -.

PICCIRILLO M., "Le lettere di El-Amarna e l'impero egiziano in Siria-Palestina",
in : (Collectif), **Akhenaton : la caduta degli dèi [Testi]**,
BECKER-COLONNA A., Ed., (Roma, 1990), pp. 59-64. - [Ed. : Cirua] -.

PINTORE F., "Kamiru o Kabtu in **EA I** ?",
in : **Oriens Antiquus**, 11/1972, pp. 37-38.

PINTORE F., "Transiti di Truppe e Schemi Epistolari nella Siria Egiziana dell'Età di El-Amarna",
in : **Oriens Antiquus**, 11/1972, pp. 101-131.

PINTORE F., "La Prassi della Marcia Armata nella Siria Egiziana dell'Età di El-Amarna",
in : **Oriens Antiquus**, 12/1973, pp. 299-318.

PINTORE F., **Il Matrimonio Interdinastico nel Vicino Oriente durante i Secoli XV - XIII**, in coll. :"Orientis Antiqui Collectio", Vol. XIV, (Roma, 1978), x + 207 pp. :

    C.R. : KLENGEL H., in : **O.L.Z.**, 81/1986, col. 555-556;
            LAMBERT W.G., in : **B.L.O.T.**, 1984, p. 10;
            SAPORETTI C., in : **Mesopot.**, 15/1980, pp. 142-143;
            SCHULMAN R., in : **J.A.O.S.**, 101/1981, pp. 455-456;
            SOGGIN J.A., in : **Z.A.W.**, 91/1979, p. 471;
            SOGGIN J.A., in : **Z.A.W.**, 96/1984, p. 465;
            ZACCAGNINI C., in : **Bollet. dell'Istit. di Diritto Romano**,
                [82/1980, (Serie III/21), pp. 203-221.

PINTORE F., "Il carattere dell'autorità faraonica in base ad alcuni passi epistolari amarniani",
in : **Studi Orientalistici in Ricordo di Franco PINTORE**, CARRUBA O. - LIVERANI M. - ZACCAGNINI C., Eds., in coll. : "Studia Mediterranea", Vol. 4, (Pavia, 1983), pp. 323-333 : - [Ed. : Gjes Edizioni] :

    C.R. : MARAZZI M., in : **W.d.O.**, 16/1985, pp. 167-168.

PIRENNE J., "Le droit international sous la XVIII° dynastie égyptienne aux XV° et XIV° siècles av. J.-C.",
in : **Revue Internationale des Droits de l'Antiquité**,
3° Série, 5/1958, pp. 3-19.

PITARD W.T., "Amarna ekēmu and Hebrew nāqam",
in : **Maarav**, 3/1982, pp. 5-25 :

C.R. : [Anonyme], in : **Z.A.W.**, 94/1982, p. 430.

PITARD W.T., **Ancient Damascus. - A Historical Study of the Syrian City-State from Earliest Times until its Fall to the Assyrians in 732 B.C.E.**, (Winona Lake, 1987) x + 230 pp. (7 Figs.) :
- [**EA** : Chap. 3 : "The Land of Upi during the Late Bronze Age"
= pp. 49-80 : - § B) - "The Amarna Period" = pp. 58-72] :

C.R. : (Anonyme), in : **H.Th.R.**, 75/1982, pp. 132-133 ["Summary"];
AHLSTRÖM G.W., in : **J.N.E.S.**, 50/1991, pp. 147-150;
BECKING B., in : **Bi.Or.**, 46/1989, col. 146-150;
BORAAS R.S., in **C.B.Q.**, 51/1989, pp. 536-538;
BUCCELLATI G.,in : **Amer.Hist.Rev.**, 95/1990, p. 141;
DION P.-E., in : **B.A.S.O.R.**, 270/1988, pp. 97-100;
E[MERTON] J.A., in : **V.T.**, 40/1990, p. 370;
KLENGEL H., in : **O.L.Z.**, 84/1989, col. 27-29;
LIVERANI M., in : **J.A.O.S.**, 109/1989, pp. 503-504;
MILLER J.M., in : **J.B.L.**, 107/1988, pp. 733-734;
SCHMITT H.-C., in : **Z.A.W.**, 100/1988, p. 463;
TARRAGON J.-M. DE, in : **R.B.**, 95/1988, pp. 607-608;
TEIXIDOR J., in : **Syria**, 67/1990, pp. 527-528;
WANSBROUGH J., in : **B.S.O.A.S.**, 51/1988, pp. 543-544.

PORADA E., "Die Siegelzylinder-Abrollung auf der Amarna-Tafel BM 29841 im Britischen Museum" - [= **EA 30**] -,
in : **Archiv für Orientforschung**, 25/1974-1977, pp. 132-142 (7 Figs.) :
- [= **E. WEIDNER Gedenkband**] -.

PRIEBATSCH H.Y., "Die amoritische Sprache Palästinas in ihren Beziehungen zu Mari und Syrien",
in : **Ugarit-Forschungen**, 9/1977, pp. 249-258.

QUIRING H., "Die Abkunft des Tutanchamon (1358-1351)",
in : **Klio**, 38/1960, pp. 53-61 (8 Figs.).

RABBINER S., **Linguistic Features in the El-Amarna Tablets from Akko, Megiddo and Shechem**, - [en Hébreu, - résumé en Anglais] -,
- Unpubl. M.A. Thesis, Université de Tel-Aviv (1981), pp.

RAINEY A.F., "Ugarit and the Canaanites Again",
in : **Israel Exploration Journal**, 14/1964, p. 101.

RAINEY A.F., "ˡˡᵘ́MASKIM at Ugarit",
in : **Orientalia**, 35/1966, pp. 426-428.

RAINEY A.F., "Aširu and Asīru in Ugarit and the Land of Canaan",
in : **Journal of Near Eastern Studies**, 26/1967, pp. 296-301.

RAINEY A.F., "Gath-Padalla",
in : **Israel Exploration Journal**, 18/1968, pp. 1-14.

RAINEY A.F., "Notes on the Syllabic Ugaritic Vocabularies",
in : **Israel Exploration Journal**, 19/1969, pp. 107-109.

RAINEY A.F., **El Amarna Tablets 359-379. - Supplement to J.A.
KNUDTZON, "Die El-Amarna-Tafeln"**, in coll. : "Alter Orient
und Altes Testament", Vol. 8, (Kevelaer-Neukirchen/Vluyn, 1970),
viii + 107 pp. :
- [2° éd. rév. : in coll. : "A.O.A.T.", Vol. 8, (Kevelaer -
Neukirchen/Vluyn, 1978), xii + 120 pp.] / - Cf. Infra - :

C.R. :   (Anonyme), in **Z.A.W.**, 82/1970, pp. 494-495;
         BRINKMAN J.A., in : **C.B.Q.**, 33/1971, pp. 289-290;
         CAPLICE R., in : **Or.**, 41/1972, pp. 474-475;
         EDZARD D.O., in : **Z.A.**, 62/1972, pp. 123-125;
         KLENGEL H., in : **O.L.Z.**, 69/1974, col. 261-263;
         MILLARD A.R., in : **B.S.O.A.S.**, 34:1971, p. 594;
         MILLARD A.R., in : **Bibl.**, 53/1972, pp. 125-127;
         ROBERTS J.J.M., in : **B.A.S.O.R.**, 202/1971, p. 30;
         RÖLLIG W., in : **W.d.O.**, 6/1971, pp. 122-123;
         T[OURNAY] R., in : **R.B.**, 78/1971, p. 471.

RAINEY A.F., "Compulsory Labour Gangs in Ancient Israel",
in : **Israel Exploration Journal**, 20/1970, pp. 191-202.

RAINEY A.F., "Verbal Forms with Infixed -t- in the West-Semitic
El-ᶜAmarna Letters",
in : **Israel Oriental Studies**, 1/1971, pp. 86-102.

RAINEY A.F., "A Front Line Repport from Amurru",
in : **Ugarit-Forschungen**, 3/1971, pp. 131-149 (1 Carte) :
- [**EA** = pp. 136-139, 141 (n. 52) et (n. 75)].

RAINEY A.F., "Observations on Ugaritic Grammar",
in : **Ugarit-Forschungen**, 3/1971, pp. 151-172 :
- [**EA** = pp. 156-166, 170-172].

RAINEY A.F., "Gleanings from Ugarit",
   in : **Israel Oriental Studies**, 3/1973, pp. 34-62.

RAINEY A.F., "Ilānu rēṣūtni lillikū !",
   in : **Orient and Occident. - Essays presented to Cyrus H. GORDON ...,**
   HOFFNER H.A., Ed., in coll. : "Alter Orient und Altes Testament", Vol. 22,
   (Kevelaer-Neukirchen/Vluyn, 1973), pp. 139-142.

RAINEY A.F., "Reflections on the Suffix Conjugation in West Semitized
   Amarna Tablets",
   in : **Ugarit-Forschungen**, 5/1973, pp. 235-262.

RAINEY A.F., "El-ʿAmârna Notes",
   in : **Ugarit-Forschungen**, 6/1974, pp. 295-312.

RAINEY A.F., "Dust and Ashes",
   in **Tel Aviv**, 1/1974, pp. 77-83 et Pl. 16/1-2 : - [**EA** = p. 79].

RAINEY A.F., "More Gleanings from Ugarit",
   in : **Israel Oriental Studies**, 5/1975, pp. 18-31 :
   - [**EA** = pp. 20-23, 26-27].

RAINEY A.F., "Morphology and the Prefix-Tenses of West Semitized
   El-ʿAmarna Tablets",
   in : **Ugarit-Forschungen**, 7/1975, pp. 395-426.

RAINEY A.F., "Toponymic Problems",
   in : **Tel Aviv**, 2/1975, pp. 13-16 (1 Fig.);
   - et in : **Tel Aviv**, 3/1976, pp. 57-69 (2 Figs.);
   - et in : **Tel Aviv**, 9/1982, pp. 130-136 [**EA** = p. 133].

RAINEY A.F., "Two Cuneiform Fragments from Tel Aphek",
   in : **Tel Aviv**, 2/1975, pp. 125-129.

RAINEY A.F., Art. : "Tell el-Amarna",
   in : **Interpreter's Dictionary of the Bible - Supplementary Volume :
   An Illustrated Encyclopedia**, (Nashville, 1976), p. 869.

RAINEY A.F., "Toponymic Problems (Cont.)",
   in : **Tel Aviv**, 3/1976, pp. 57-69 (2 Figs.).

RAINEY A.F., "A Tri-Lingual Cuneiform Fragment from Tel Aphek",
   in : **Tel Aviv**, 3/1976, pp. 137-140 :
   - [Cf. **Z.A.W.**, 89/1977, p. 443].

RAINEY A.F., "KL 72:600 and the D-Passive in West Semitic",
   in : **Ugarit-Forschungen**, 8/1976, pp. 337-341.

RAINEY A.F., "Verbal Usages in the Ta'anach Texts",
   in : **Israel Oriental Studies**, 7/1977, pp. 33-64.

RAINEY A.F., **El Amarna Tablets 359-379. - Supplement to J.A.
   KNUDTZON, Die El-Amarna-Tafeln**, 2° éd. rév., in coll. : "Alter Orient
   und Altes Testament", Vol. 8, (Kevelaer - Neukirchen/Vluyn, 1978),
   xii + 120 pp. - / Cf. - <u>Supra</u> - RAINEY A.F. (1970) :

   C.R. : (Anonyme), in : **Z.A.W.**, 91/1979, p. 153;
          LEMAIRE A., in : **R.A.**, 73/1979, p. 86;
          LYS D., in : **E.TH.R.**, 53/1978, pp. 525-526;
          MILLARD A.R., in : **B.L.O.T.**, 1979, p. 36.

RAINEY A.F., "The BARTH-GINSBERG Law in the Amarna Tablets",
   in : **Eretz-Israel**, 14/1978, pp. 8*-13* - [= **H.L. GINSBERG Volume**] -.

RAINEY A.F., "The Scatterbrained Scribe",
   in : **Studies in Bible and the Ancient Near East Presented to Samuel E.
   LOEWENSTAMM ...**, AVISHUR Y. - BLAU J., Eds., (Jerusalem, 1978),
   pp. 141-150.

RAINEY A.F., "The Military Camp Ground at Taanach by the Waters
   of Megiddo",
   in : **Eretz-Israel**, 15/1981, pp. 61*-66*.

RAINEY A.F., "Linguistic Notes on Thutmose III's Topographical List",
   in : **Scripta Hierosolymitana**, Vol. 28 : **Egyptological Studies**,
   ISRAELIT-GROLL S., Ed., (Jerusalem, 1982), pp. 335-359 :
   - [**EA** = pp. 337-341; 344 & 349-356 = Tables : N° 1-119].

RAINEY A.F., "Toponymic Problems (Cont.)",
   in : **Tel Aviv**, 9/1982, pp. 130-136 : - [**EA** = p. 133].

RAINEY A.F., "The Biblical Shephelah of Judah",
   in : **Bulletin of the American School of Oriental Research**,
   251/1983, pp. 1-22 (1 Fig.) : - [**EA** = pp. 4-5].

RAINEY A.F., "Some Key Issues in ꜤAmarna Studies",
   - Unpubl. Paper : **W.F. ALBRIGHT Seminar, The American School
   of Oriental Research**, (Jerusalem, 28 March 1985), 4 pp.

RAINEY A.F., "The Early West Semitic Prefix Conjugations",
   - Unpubl. Paper, presented to the Joint Session of the AmericanOriental
   Society and the North American Conference on Afro-Asianic Linguistics,
   16 April, 1985, pp. - [Cf. RAINEY A.F. (1990-B)] -

RAINEY A.F., "The Ancient Hebrew Prefix Conjugation in the Light
   of Amarnah Canaanite",
   in : **Hebrew Studies**, 27/1986, pp. 4-19.

RAINEY A.F., "A New Grammar of Ugaritic",
  in : **Orientalia**, 56/1987, pp. 391-402 :
  - [= C.R. de : SEGERT St., **A Basic Grammar of the Ugaritic Language
  - With Selected Texts and Glossary**, (Berkeley - Los Angeles - London,
  1984), xxvi + 213 pp.] : - [**EA** = pp. 394-395; 397; 402].

RAINEY A.F., "Some Presentation Particles in the Amarna Letters
  from Canaan",
  in : **Ugarit-Forschungen**, 20/1988, pp. 209-220.
  - [= **Festschrift Oswald LORETZ**] -.

RAINEY A.F., "A New Translation of the Amarna Letters - After 100 Years",
  in : **Archiv für Orientforschung**, 36-37/1989-1990, pp. 56-75 :
  - ["References" = pp. 73-75].

RAINEY A.F., "Genitive <u>ana</u> in the Canaanite El-Amarna Tablets",
  in : **Bar-Ilan Studies in Assyriology Dedicated to Pinḥas ARTZI**,
  KLEIN J. - SKAIST A., Eds., in coll. : "Bar-Ilan Studies in Near Eastern
  Languages and Culture", (Ramat Gan, 1990), pp. 171-176.

RAINEY A.F., "The Prefix Conjugation Patterns of Early Northwest Semitic",
  in: **Lingering over Words. - Studies in Ancient Near Eastern Literature
  in Honor of William L. MORAN**, ABUSCH T. - HUEHNERGARD J. -
  STEINKELLER P., Eds., in coll. : "Harvard Semitic Studies", Vol. 37,
  (Atlanta, 1990), pp. 407-420. - [Ed. : Scholars Press].

RAINEY A.F., "The Use of the Precative by Canaanite Scribes in
  the Amarna Letters",
  in : **Mesopotamica - Ugaritica - Biblica. - Festschrift für Kurt
  BERGERHOF zur Vollendung seines 70. Lebensjahres ...**, DIETRICH
  M. - LORETZ O., Eds., in coll. : "Alter Orient und Altes Testament",
  Vol. 232, (Kevelaer - Neukirchen/Vluyn, 1993), pp. 331-341 :
  - [**EA** : "References" = pp. 340-341;
  - & § A/2) "Stellenregister : Keilschriftliteratur" = p. 499].

RAINEY A.F., "The Imperative 'See' as an Introductory Particle,
  an Egyptian - West Semitic Calque",
  in : < **Festschrift for > D.W. YOUNG**, < Forthcoming >.

REDFORD D.B., "Some Observations on ʿAmārna Chronology",
  in : **Journal of Egyptian Archaeology**, 45/1959, pp. 34-37.

REDFORD D.B., **History and Chronology of the Eighteenth Dynasty
  of Egypt. - Seven Studies**, in coll. : "Near and Middle East Series", Vol. 3,
  (Toronto, 1967), xii + 235 pp. :
  - [**EA** : - cf. "Appendix : Prolegomena to the History of Syria
  during the Amarna Period" = pp. 216-225 (& pp. 88-182)] :

.../...

C.R. : DONADONI S., in : **O.A.**, 9/1970, pp. 87-90;
HELCK W., in : **O.L.Z.**, 66/1971, col. 17-22;
KITCHEN K.A., in : **Chron. d'Eg.**, 43/1968, pp. 313-324;
WENTE E.F., in : **J.N.E.S.**, 28/1969, pp. 273-280.

REDFORD D.B., **Akhenaten : The Heretic King**, (Princeton, 1984),
xxvi + 256 pp. (ill.) - [Princeton University Press] -
- [rééd. anastat. : (Cairo, 1989)] :

C.R. : BAINES J., in : **Am.Hist.R.**, 92/1987, p. 932;
BENTLEY J., in : **Anc.Hist.Res.**, 20/1990, pp. 176-178;
BERG D., in : **Scr.Medit.**, 5/1984, pp. 55-56;
CLERC G., in : **R.Ar.**, 1987, pp. 380-381;
EATON-KRAUSS M., in : **Bi.Or.**, 47/1990, pp. 540-550;
KITCHEN K.A., in : **B.L.O.T.**, 1985, p. 40;
MELTZER E.S., in : **J.A.O.S.**, 108/1988, pp. 285-290;
MURNANE W.J., in : **J.N.E.S.**, 47/1988, pp. 47-48;
RAY J.D., in : **Gött.Misz.**, 86/1985, pp. 81-93;
RAY J.D., in : **B.S.C.A.S.**, 49/1986, pp. 245-246;
SETERS J. VAN, in : **J.B.L.**, 105/1986, pp. 509-510;
SIST L., in : **Or.Ant.**, 26/1987, pp. 163-165;
SPALINGER A., in : **B.A.**, 49/1986, pp. 245-246;
WEINSTEIN J.M., in : **J.A.A.R.**, 53/1985, pp. 515-516;
YOUNG L.M., in : **Ar.Or.**, 57/1989, pp. 299-301.

REDFORD D.B., **Egypt, Canaan, and Israel in Ancient Times**,
(Princeton, 1992), xxiii + 488 pp. (36 Photos., 10 Figs. & 7 Tableaux).
- [Ed. : Princeton University Press] -
- [Part II : "The Egyptian Empire in Asia" = pp. 123-237 :
- **EA** = spéct. pp. 137; 141; 171-173; 179; 201; 204-206; 210; 224; 233;
(& pp. 259; 267; 377-382; 416);
- "Index" = pp. 473-488 : - p. 473/B : "Amarna"].

REVIV H., "The Rulers of Shechem in the El-Amarna Period and in the Days
of Abimelech" [en Hébreu],
in : **Yediot**, 27/1963, pp. 270-275.

REVIV H., "Regarding the History of the Territory of Shechem
in the El-Amarna Period" [en Hébreu],
in : **Tarbiz**, 33/1964, pp. 1-7 (et p. I : Résumé en anglais).

REVIV H., **On the Social Stratification of the Syrian and Palestinian City
in the Second Half of the Second Millennium B.C.E.** [en Hébreu],
- Unpubl. Thesis, The Hebrew University, (Jerusalem, 1965).

REVIV H., "The Government of Shechem in the El-Amarna Period
and in the Days of Abimelech",
in : **Israel Exploration Journal**, 16/1966, pp. 252-257.

REVIV H., "The Planning of an Egyptian Campaign in Canaan in the Days
of Amenhotep IV" [en Hébreu],
in : **Yediôt**, 30/1966, pp. 45-51.

REVIV H., "On Urban Representative Institutions and Self-Government
in Syria-Palestine in the Second Half of the Second Millennium B.C.",
in : **Journal of the Economic and Social History of the Orient**,
12/1969, pp. 283-297 : - [**EA** = pp. 285-291];

REVIV H., "On Urban Representative Institutions and Self-Government
in Syria-Palestine in the Second Half of the Second Millennium B.C.",
in : **Studies in the History of the Jewish People and the
Land of Israel**, Vol. III, (Haifa, 1974), pp. 15-29. - [en Hébreu] -.

ROBERTS J.J.M., "The Hand of Yahweh",
in : **Vetus Testamentum**, 21/1971, pp. 244-251 :
- [**EA 35**, ll. 13-14 & 37-39 = p. 247 (n. 3)].

RÖLLIG W., "Politische Heiraten im Alten Orient",
in : **Saeculum**, 25/1974, pp. 11-23.

RÖLLIG W., Arts. : "Japu" & "Joppe",
in : **Reallexikon der Assyriologie**, Vol. V, (Berlin - New York,
1976-1980), pp. 260/A et 281/B-282/A.

RÖLLIG W., Art. : "Labāja, Lab'aja",
in : **Reallexikon der Assyriologie**, Vol. VI, (Berlin - New York,
1980-1983), p. 404.

RÖLLIG W., "On the Origin of the Phoenicians",
in : **Berytus**, 31/1983 - [= **Language and History in the Ancient Near
East. - Proceedings of... the American University of Beirut,
14 - 16 May 1981**], pp. 79-93.

ROHL D. - NEWGROSH B., "The el-Amarna Letters
and the New Chronology",
in : **Chronologies & Catastrophism Review**, 10/1988, pp. 23-65.

ROSS J.F., "Gezer in the El-Amarna Letters",
in : **Bulletin, Museum Haaretz**, 8/1966, pp. 45-54, et I Pl.

ROSS J.F., "Gezer in the el-Amarna Letters",
in : **The Biblical Archaeologist**, 30/1967, pp. 62-70 (Figs. 13-16).

ROST L., "Die ausserhalb von Bogazköy gefundenen hethitische Briefe",
in: **Mitteilungen des Instituts für Orientforschung**, 4/1956, pp. 328-350:
- [**EA** = pp. 328-340 et 348-350;
- **EA 31** = pp. 334-335 : Transcr. & Trad.].

ROWE I.M., "The Ugaritic Equivalent of EA Akk. amur and Eg. ptr",
in : **N.A.B.U. - Nouvelles Assyriologiques Brèves et Utilitaires**,
1993/ § 45, [= N° 2 - Juin], p. 36 :
- [Cp. COCHAVI-RAINEY Z., in : **U.F.**, 21/1989, pp. 39-46].

RÜGER H.- P., Art. : "Brief",
in : **Biblisches Reallexikon**, 2° éd. rév., GALLING K., Ed.,
(Tübingen, 1977), pp. 50-52.

SALAMÉ-SARKIS H.,"Ardata-Ardé dans le Liban Nord. - Une nouvelle cité
cananéenne identifiée",
in : **Mélanges de l'Université Saint-Joseph**, 47/1972, pp. 123-145
(13 Figs.), et Pls. I-VIII : - [**EA** = pp. 125-133].

SALONEN E., **Die Gruss- und Höflichkeitsformeln in babylonisch -
assyrischen Briefen**, in coll. : "Studia Orientalia", Vol. XXXVIII,
(Helsinki, 1967), 114 pp. :
- [**EA** = Chap. C/II : "Die mittelbabylonischen Briefe aus el-Amarna"
- pp. 61-70].

SAPIN J., "La géographie humaine de la Syrie-Palestine au deuxième
millénaire avant J.C. comme voie de recherche historique",
in : **Journal of Economic and Social History of the Orient**,
24/1981, pp. 1-62; - & 25/1982, pp. 1-49 et 113-186.

SCHMITT J.J., "Pre-Israelite Jerusalem",
in : **Scripture in Context [I]. - Essays on the Comparative Method**,
EVANS C.D., HALLO W.W. - WHITE J.B., Eds., in coll. : "Pittsburgh
Theological Monograph Series", Vol. 34, (Pittsburgh, 1980), pp. 101-121.

SCHNEIDER Th., **Asiatische Personennamen in ägyptischen Quellen
des Neuen Reiches**, in coll. : "Orbis Biblicus et Orientalis", Vol. 114,
(Fribourg/CH - Göttingen, 1992), (IX) + 482 pp. :
- [**EA** : - Cf. F) - "Register" = pp. 428-479 :
- § I/2 : "Semitisch : Personennamen = pp. 432-457 :
- § I/2.5 : "El-Amarna Tafeln" = p. 442 (références)].

SCHMÖKEL H., **Keilschriftforschung und Alte Geschichte Vorderasiens.
- Geschichte des Alten Vorderasien**, in coll. : "Handbuch der Orientalis-
tik", I° Partie, Vol. II, Sect. 3, (Leiden, 1957), 342 pp., 10 Pls. et 1 Carte :
- [**EA** = pp. 155, 158, 163-164; 226-227, et 230-232].

SCHULER E. VON, "Zur Partikel -maku in barbarisiertem Akkadisch",
in : **Zeitschrift für Assyriologie**, 53/1959, pp. 185-192 : - [**EA** = p. 190].

SCHULER E. VON, **Der Kaškäer. - Ein Beitrag zur Ethnographie des
Alten Kleinasien**, in coll. : "Untersuchungen zur Assyriologie und
Vorderasiatischen Archäologie", Vol. 3, (Berlin, 1965), xv + 198 pp. :
- [**EA** = pp. 11, 74, 81, 88 et 150] :   .../...

C.R. : ARNAUD D., in : **R.A.**, 61/1967, pp. 86-93;
        ČIHAŘ V., in : **Ar.Or.**, 35/1967, pp. 667-668;
        DEGEN R., in : **W.d.O.**, 4/1967-1968, pp. 48-60;
        HIRSCH H., in : **W.Z.K.M.**, 61/1967, pp. 173-174;
        HOFFNER H.A., in : **J.A.O.S.**, 87/1967, pp. 179-185;
        JARITZ K., in : **O.L.Z.**, 62/1967, pp. 151-154;
        KLENGEL H., in : **Or.**, 35/1966, pp. 323-326;
        KÜMMEL H.M., in : **Mundus**, 3/1967, pp. 38-40;
        LIVERANI M., in : **Or.Ant.**, 5/1966, pp. 132-134;
        NEU E., in : **Indog.F.**, 73/1968, pp. 169-177;
        NEUMANN G., in : **Z.D.M.G.**, 118/1968, pp. 154-157;
        ROSENKRANZ B., in : **Beitr.z.Nam.F.**, 2/1967, pp. 65-68;
        STERNEMANN R., in : **D.L.Z.**, 89/1968, col. 394-395;
        WERNER R., in : **Et.Asiat.**, 21/1967, pp. 124-126.

SCHULMAN A.R., "Some Observations on the Military Background of
    the Amarna Period",
    in : **Journal of the Amer. Research Center in Egypt**, 3/1964, pp. 51-69.

SCHULMAN A.R., "Diplomatic Marriage in the Egyptian New Kingdom",
    in : **Journal of Near Eastern Studies**, 38/1979, pp. 177-193.

SEUX M.-J., apud BRIEND J. - SEUX M.-J., "Les lettres de Tell el Amarna
    (XIV° siècle)",
    in : **Textes du Proche Orient Ancien et Histoire d'Israël**, (Paris, 1977),
    188 pp. : - [**EA** : Chap. I : N° /A-G et 9 = pp. 47-61].

SEVERAL M.N., "Reconsidering the Egyptian Empire in Palestine
    during the Amarna Period",
    in : **Palestine Exploration Quarterly**, 104/1972, pp. 123-133.

SHEHADEH L.R., "Some Observations on the Sibilants in the Second
    Millennium B.C.",
    in : **"Working With No Data". - Semitic and Egyptian Studies
    Presented to Thomas O. LAMBDIN**, GOLOMB D.M. - HOLLIS S.T.,
    Eds., (Winona Lake, 1987), pp. 229-246 : - [**EA** = pp. 234-242].

SIVAN D., **Grammatical Analysis and Glossary of the Northwest
    Semitic Vocables in Akkadian Texts of the 15th - 13th C.B.C.
    from Canaan and Syria**, in coll. : "Alter Orient und Altes Testament",
    Vol. 214, (Kevelaer-Neukirchen/Vluyn, 1984), xiii + 306 pp. :
    - [= Ph.D. Diss., Tel-Aviv University (1978) - (Hébreu)] -

C.R. : HUEHNERGARD J., in : **J.A.O.S.**, 107/1987, pp. 713-725;
        LAMBERT W.G., in : **B.L.O.T.**, 1985, p. 156;
        SCHMITT H.C., in : **Z.A.W.**, 97/1985, pp. 472-473;
        SOLDT W.H. VAN, in : **Bi.Or.**, 46/1989, col. 645-651;
        VAWTER B., in : **O.T.Abstr.**, 8/1985, pp. 200-201;
        WANDSBROUGH J., in : **B.S.O.A.S.**, 49/1986, pp. 625-626.

SIVAN D., "Problematic Lengthening in North West Semitic Spellings
of the Middle of the Second Millennium B.C.E.",
in : **Ugarit-Forschungen**, 18/1986, pp. 301-312.

SMITH D.E., "Ugaritic HW Equals Hurrian MANNI",
in : **Ugarit-Forschungen**, 9/1977, pp. 376-378 : - [**EA** = p. 378].

SMITH M.S., **The Origins and Development of the Waw-Consecutive.
- Northwest Semitic Evidence from Ugarit to Qumran**, in coll.:
"Harvard Semitic Studies", Vol. 39, (Atlanta, 1991), xiv + 100 pp. :
- [Ed. : Scholars Press] -
- [**EA** = Chap. 1 : "Early Extra-Biblical Evidence" = pp. 1-15 :
- § 2. - "Suffix Forms in Conditional Sentences in the Amarna Letters
and the BH Converted Perfect" = pp. 6-8 - & n. 1 (= pp. 65-67);
- "Index" = p. 89] :

C.R. : BEGRICH G., in : **Z.A.W.**, 105/1993, pp. 149-150.

SODEN VON W., "Zu den Amarnabriefen aus Babylon und Assur",
in : **Orientalia**, (N.S.) 21/1952, pp. 426-434.

SODEN VON W., "Bemerkungen zum Adapa-Mythos",
in :**KRAMER Anniversary Volume. - Cuneiform Studies in Honor
of S.N. KRAMER**, in coll. : "Alter Orient und Altes Testament", Vol. 25,
(Kevelaer-Neukirchen/Vluyn, 1976), pp. 427-433 :
- [**EA 356** = pp. 430-431 : "Stück II"].

SODEN VON W., "Dolmetscher und Dolmetschen im Alten Orient",
in : SODEN W. VON, **Aus Sprache, Geschichte und Religion
Babyloniens. - Gesammelte Aufsätze**, CAGNI L. - MÜLLER H.-P.,
in coll. : "Istituto Universitario Orientale - Dipartimento di Studi Asiatici"
- Series Minor, Vol. XXXII, (Neapel, 1989), pp. 351-357 :
- [§ 5) - "Dolmetscher in Texten aus Mitanni, Ḫatti und Ugarit"
= pp. 354-355].

SOGGIN J.A., "Il Regno di 'Abimelek in Sichem, ('Guidici', 9) e le Instituzioni
della Citta-Stato Siro-Palestinense nei Secoli XV-XI avanti Criste",
in : **Studi in Onore di E. VOLTERRA**, Vol. VI, (Milan, 1971),
pp. 161-189 : - [**EA** = pp. 166-189].

SOLDT W.H. VAN, "An Orthographic Peculiarity in the Akkadian Letters
of Tušratta",
in : **To the Euphrates and Beyond. - Archaeological Studies in Honour
of Maurits N. VAN LOON**, HAEX O.M.C. - CURVERS H.H. - AKKER-
MANS P.M.M.G., Eds., (Rotterdam - Brookfield, 1989), pp. 103-115
(dont 5 Tableaux). - [Ed. : A.A. Balkema].

SOLDT W.H. VAN, **Studies in the Akkadian of Ugarit : Dating and Grammar**, in coll. : "Alter Orient und Altes Testament", Vol. 40, (Kevelaer-Neukirchen/Vluyn, 1991), xxiii + 805 pp. :
- [**EA** : "Indices" = pp. 763-805 : - 1.) "Texts" = pp. 763-783 :
- B) "General" = p. 783 (cols. B-C) : - spéct. pp. 9 (n. 83); 13 (n. 115); 58 (n. 40); 237; 252 (n. 19); 315 (n. 122); 318; 358 (n. 230); 374 (n. 257); 375-381; 392; 398 (n. 1); 400 (n. 6); 407; 412; 414; 434; 452 (n. 158); 464 (n. 226); 465 (nn. 231 & 237); 470 (n. 267); 498 (n. 58); 515-516; 671; 747-748].

SPALINGER A.J., "Egyptian-Hittite Relations at the Close of the Amarna Period and Some Notes on Hittite Military Strategy in North Syria", in : **Bulletin of the Egyptological Seminar**, 1/1979, pp. 55-89.

STARKE Fr., "Zur Deutung der Arzaɥa-Briefstelle VBoT 1, 25-27", in : **Zeitschrift für Assyriologie**, 71/1981, pp. 221-231.

STARKE Fr., "Ein Amarna-Beleg für nbw nfr 'gutes Gold' ", in : **Göttinger Miszellen**, 53/1982, pp. 55-61.

STEINER G., " 'Schiffe von Aḫḫijawa' oder 'Kriegsschiffe' von Amurru im Šauškamuwa-Vertrag ?", in : **Ugarit-Forschungen**, 21/1989, pp. 393-411 :
- [§ 4.- "Die 'Kriegsschiffe' von Amurru" = pp. 402-409 :
- **EA** = pp. 402-406].

STIEBING W.H., "The Amarna Period", in : **Palestine in Transition. - The Emergence of Ancient Israel**, FREEDMAN D.N. - GRAF D.F., Eds., in coll. : "The Social World of Biblical Antiquity Series", Vol. 2, (Sheffield, 1983), pp. 1-14 (1 Tableau = p. 13) : - / Cf. FREEDMAN - GRAF (1983) -

STIEGLITZ R.R., "The City of Amurru", in : **Journal of Near Eastern Studies**, 50/1991, pp. 45-48 (1 Carte = p. 46) : - [= **EA 162**].

STRANGE J., **Caphtor/Keftiu. - A New Investigation**, in coll. : "Acta Theologica Danica", Vol. XIV, (Leiden, 1980), 227 pp. (11 Figs.) & 2 Cartes :
- [**EA** = Chap. IV : "Cyprus" = pp. 147-184, - et p. 213/B : "Index of ... Sources : Amarna-Texts" : = pp. 85; 158; 169-170; 174; 177-181; 183] :

C.R. : (Anon.), in : **V.T.**, 33/1983, p 376;
ASTOUR M.C., in : **J.A.O.S.**, 102/1982, pp. 395-396;
COUROYER B., in : **R.B.**, 89/1982, pp. 133-136;
GÖRG M., in : **Bi.Or.**, 39/1982, pp. 533-537;
HOOKER J.T., in : **J.Hell.S.**, 103/1983, p. 216;
KITCHEN K.A., in : **P.E.Q.**, 114/1982, pp. 155-156;
KITCHEN K.A., in : **J.S.S.**, 28/1983, pp. 159-160;

.../...

KNAPP A.B., in : **Or.**, 52/1983, pp. 284-289;

KNAPP A.B., in : **J.Field Arch.**, 12/1985, pp. 231-250:
[- § 1) = pp. 234-241;

LORETZ O., in : **U.F.**, 14/1982, p. 336;

MERRILLEES R., in : **R.D.A.C.**, 1982, pp. 244-253;

NIEMANN H.M., in : **Z.D.P.V.**, 102/1986, pp. 191-193;

RAISON J., in : **R.Ar.**, 1982, pp. 305-306;

SASSON J.M., in : **Rel.St.Rev.**, 7/1981, p. 254;

SETERS J. VAN, in : **O.L.Z.**, 79/1984, col. 338-339;

SIST L., in : **Or.Ant.**, 21/1982, pp. 265-266;

STROBEL A., in : **Th.L.Z.**, 107/1982, col. 495-498;

WANKE G., in : **Z.A.W.**, 93/1981, p. 325;

YOUNG L.M., in : **Temenos**, 18/1982, pp. 144-146.

STROBEL A., **Der spätbronzezeitliche Seevölkersturm. - Ein Forschungs-**
überblick mit Folgerungen zur biblischen Exodusthematik, in coll. :
"Beihefte zur Zeitschrift für die Alttestamentliche Wissenschaft", Vol. 145,
(Berlin - New York, 1976), XI + 291 pp. :
- [**EA** = Kap. C/1-2 : "Kultur und Religion der Seevölker
in der Zerstreuung (Die Kraft des Überlebens)" = pp. 177-219 :
- spéct. pp. 177-178; 190; 202; 214].

STRUWE W.W., [Ed.], "Briefwechsel babylonischer Könige mit ägyptischen
Pharaonen" - "Briefe syrischer Regenten an den Pharao",
in : **Geschichte der Alten Welt. - Chrestomatie**,
- [Traduit du Russe : (Moscou, 1950)] -
- Vol. I : **Der Alte Orient**, (Berlin-E., 1959), 464 pp. :
- [**EA** = pp. 262-267 (§ 43), et pp. 328-333 (§ 62)].

STUART D., "The Sovereign's Day of Conquest",
in : **Bulletin of the American Schools of Oriental Research**,
221/1976, pp. 159-164 : - [**EA** = p. 162/B].

SWIGGERS P., "Byblos dans les lettres d'El Amarna :
lumières sur des relations obscures",
in : **Phoenicia and its Neighbours. - Proceedings of the Colloquium ...**
Brussel 9 - 10 Dec. 1983], in coll. : "Studia Phoenicia", Vol. 3,
(Leuven, 1985), pp. 45-58.

TADMOR H. / - Cf. KALLAI Z. (1969).

TALON Ph., "Le mythe d'Adapa",
in : **Studi Epigraphici e Linguistici sul Vicino Oriente Antico**,
7/1990, pp. 43-57 :
- [**EA 356** = "Fragment B" : V.A.T. 348 = V.S. XII, 194
- Transcription = pp. 55-57].

TCHEKHOFF C., **Aux fondements de la syntaxe : l'ergatif**, in coll. :
"Le linguiste", (Paris, 1978), 202 pp. :
- [= Chap. II - "Quelques exemples de langues à construction ergative
pure : ..., hourrite, ourartéen" = pp. 58-105 :
- [**EA** = Chap. II / §§ 2.18 - 2.20 = pp. 96-105].

THIEL W., **Die soziale Entwicklung Israels in vorstaatlicher Zeit**,
(Berlin/DDR, 1980), 185 pp. : - [Rééd. : (Neukirchen, 1985), 192 pp.] :
- [Kap. III. - "Die spätbronzezeitliche Klassengesellschaft in Syrien
und Palästina" = pp. 52-87 : - § 2. - "Palästina und Südsyrien" = pp. 65-87 :
- **EA** = pp. 67-87 (nn. 14-116)] :

C.R. : METZGER M., in : **Th.L.Z.**, 107/1982, col. 498-501.
C.R. s/2° éd. (1985) :
COGGINS R.J., in : **Exp.T.**, 97/1985-1986, p. 344;
SOGGIN J.A., in : **Protestant.**, 43/1988, p. 116.

TROPPER J., "Finale Sätze und yqtla-Modus im Ugaritischen",
in : **Ugarit-Forschungen**, 23/1991, pp. 341-352 :
- [**EA** : § 3. - "Finale Syntagmen in anderen altsemitischen Sprachen"
= pp. 342-345 : - § 3.2. - "Die kanaanäischen Amarna Briefe" = p. 343].

TROPPER J., "Subjunktiv in ugaritischen Relativsätzen ?",
in : **Ugarit-Forschungen**, 23/1991, pp. 353-355 : - [**EA** = p. 353].

TSEVAT M., "Alalakhiana",
in : **Hebrew Union College Annual**, 29/1958, pp. 109-134 :
- [**EA** = pp.111 (n. 8); 113 (n. 21); 120 (n. 70); 122 (n. 87a);
130 (n. 140) et 132-133 (nn. 150-158)].

TUR-SINAI N.H., "Hiob XI und die Sprache der Amarna-Briefe",
in : **Bibliotheca Orientalis**, 9/1952, pp. 162-163.

UEHLINGER Ch., "Leviathan und die Schiffe in Ps. 104, 25-26",
in : **Biblica**, 71/1990, pp. 499-526 : - [**EA 147**, 9-10 = pp. 504-505].

VALBELLE D., **Les neuf arcs. - L'Egyptien et les étrangers, de la pré-
histoire à la conquête d'Alexandre**, (Paris, 1990), 316 pp. :
- [Ed. : Armand Colin] :
- [**EA** = III° Partie : "Le Nouvel Empire" = pp. 133-198 :
- Chap. III : "Les faiblesses du pouvoir et les voies diplomatiques"
= pp. 165-176 : - § 1. - "Les lettres d'Amarna" = pp. 166-170;
- & cf. "Index" (= p. 307/C) : pp. 162-163; 174; 178-179; 184; 247].

VANSTIPHOUT H.L.J., "Linguistic Arguments for a Hurrian Influence
on Hittite Syntax",
in : **Orientalia Lovaniensia Periodica**, 2/1971, pp. 71-101 :
- [**EA** = pp. 71-83].

VARGON Sh., "El-Amarna MU'RAŠT and Biblical MORESHETH ",
in : **Bar-Ilan Studies in Assyriology Dedicated to Pinḥas ARTZI**,
KLEIN J. - SKAIST A., Eds., in coll. : "Bar-Ilan Studies in Near Eastern
Languages and Culture", (Ramat Gan, 1990), pp. 207-212.

VAUX R. DE, "Le pays de Canaan",
in : **Journal of the American Oriental Society**, 88/1968, pp. 23-30 :
- [**Essays in Memory of E.A. SPEISER**, HALLO W.W., Ed.] :
- [**EA** = pp. 23-26].

VAUX R. DE, **Histoire Ancienne d'Israël**, - Tome 2 : **La période des Juges**,
in coll. : "Etudes Bibliques", (Paris, 1973), 159 pp. :
- [**EA** - Cf. "Index des matières" = p. 135/A : - "Lettres d'Amarna"
= pp. 91; 95; 109; 125; - "Sichem, à l'époque d'Amarna" = pp. 85; 110].

VELIKOVSKY I., **Ages in the Chaos**, - Vol. I : **From the Exodus to King
Akhnaton**, (New York, 1952), xxiv + 350 pp., et 3 Cartes :
- [Chap.VI-VIII : "The El-Amarna Letters" = pp. 223-240];

- Traduit en Allemand : **Zeitalter im Chaos**,
- Vol. I : **Vom Exodus zu König Echnaton**, (Zürich, 1962), 376 pp. :
- [Chap. VI-VIII (= pp. 243-365) : "Die El-Amarna Briefe"].

VERGOTE J., **Toutankhamon dans les archives hittites**, in coll. : "Publications de l'Institut Historique et Archéologique Néerlandais de Stamboul",
Vol. XII, CENSE A.A. - KAMPMAN A.A., Eds., (Istanbul, 1961), 16 pp.

VERGOTE J., "La chancellerie royale d'Akhenaton et la tablette Ashm. Mus.,
Tell el Amarna 1921, 1154" - [= **EA 368**] -,
in : **ZETESIS. - Album amicorum ... aan ... E. DE STRYCKER**,
(Antwerpen - Utrecht, 1973), pp. 580-584 (2 Figs.).

VERGOTE J., "pitaš ni mu'tu = 'Coffre à brancard' " - [= **EA 368**] -,
in : **Egyptological Studies**, ISRAELIT-GROLL S., Ed., in coll. : "Scripta
Hierosolymitana", Vol. 28, (Jerusalem, 1982), pp. 105-116.

VINCENTELLI I., "Alleanze o Paragoni ?",
in : **Rivista degli Studi Orientali**, 46/1971, pp. 143-148.

WAINWRIGHT G.A., "Abimilki's News of the Danuna",
in : **The Journal of Egyptian Archaeology**, 49/1963, pp. 175-176.

WALKER C.B.F., "Another Fragment from El-Amarna (= **EA 380**)",
in : **Journal of Cuneiform Studies**, 31/1979, p. 249.

WATERHOUSE S.D., **Syria in the Amarna Age : A Borderland Between
Conflicting Empires**,
- Unpubl. Ph.D. Diss., University of Michigan (1965), xvi + 267 pp.

- [Cf. **Dissertation Abstracts International**, 27/1966 (July), p. 431-A;
- University Microfilms, Ann Arbor : Xérocopie, N° 66-6734].

WATSON W.G.E., "The Unnoticed Word Pair 'Eye(s)' // 'Heart' ",
   in: **Zeitschrift fürdie Alttestamentliche Wissenschaft**, 101/1989,
   pp. 398-408 : - [**EA** = pp. 406-407 : = EA, **142**/7-10 & **144**/12-15].

WEGNER I., **Gestalt und Kult der Ištar-Sawuska in Kleinasien. -
   Hurritologische Studien, III**, in coll. : "Alter Orient und Altes Testament",
   Vol. 36, (Kevelaer-Neukirchen/Vluyn, 1981), xiii + 250 pp. :
   - [**EA** = pp. 11, 21, 27, 32-33, 65, 85-86, 112-113, 150;
   - et "Indizes" : pp. 222 et 225] :

    C.R. : HAWKINS D.J., in : **B.S.O.A.S.**, 47/1984, pp. 333-334;
             POPKO M., in : **Bi.Or.**, 39/1982, pp. 145-147;
             SCHMITT H.-C., in : **Z.A.W.**, 94/1982, pp. 463-464.

WEGNER I., "Phonotaktischer n̲-Verlust in Jussivformen
   des Bogazköy-Hurritischen",
   in : **Orientalia**, 59/1990, pp. 298-305 : - [**EA 24** (= Mit.) : pp. 303-305].

WEIHER E. VON, **Der babylonische Gott Nergal**, in coll. : "Alter Orient
   und Altes Testament", Vol. 11, (Kevelaer-Neukirchen/Vluyn, 1971),
   ix + 138 pp., 16 Figs. et Pls. I* - IV* :
   - [**EA 357** = Chap. III/II/15 : "Der Mythus von Nergal und Ereškigal"
   = pp. 48-56 (et p. 86)] :

    C.R. : LAMBERT W.G., in : **Bi.Or.**, 30/1973, pp. 355-363.

WEIHER E. VON, "Mitanni",
   in : **Festschrift Heinrich OTTEN (27. Dezember 1973)**,
   (Wiesbaden, 1973), pp. 321-326. - [Ed. : O. Harrassowitz].

WEINSTEIN J.M., "The Egyptian Empire in Palestine : A Reassessment",
   in : **Bulletin of the American Schools of Oriental Research**,
   241/1981 (Winter), pp. 1-28 (2 Cartes; 1 Tableau = p. 9) :
   - [**EA** = § II. - "Political and Economic Domination (LB IB)" - pp. 12-17;
   - "Bibliography" = pp. 23-28].

WEIPPERT M., **Die Landnahme der israelitischen Stämme in der neueren
   wissenschaftlichen Diskussion. - Ein kritischer Bericht**, in coll. :
   "Forschungen zur Religion und Literatur des Alten und Neuen Testaments",
   Vol. 92, (Göttingen, 1967), 164 pp. et 2 Cartes :
   - [**EA** : Chap. III/1 : "Apiru̲ und die Hebräer" = pp. 66-102:
   - spéct. pp. 74-76 (et pp. 20, 23 et 67)].

WEIPPERT M., "Die Nomadenquelle. - Ein Beitrag zur Topographie
  der Biqaʿ im 2. Jahrtausend v. Chr.",
  in: **Archäologie und Altes Testament. - Festschrift für K. GALLING ...**,
  KUSCHKE A. - KUTSCH E., Eds., (Tübingen, 1970), pp. 259-272 (2 Figs)

WEIPPERT M., "Semitische Nomaden des zweiten Jahrtausends.
  - Über die Š'św der ägyptischen Quellen",
  in : **Biblica**, 55/1974, pp. 265-280 et pp. 427-433 (1 Fig.) :
  - [**EA** = spéct. pp. 273; 276-277; 430-433].

WEIPPERT M., "ᴸᵁAD.DA.A.NI in den Briefen des Abduḫeba
  von Jerusalem an den Pharao",
  in **Ugarit-Forschungen**, 6/1974, pp. 415-419.

WEIPPERT M., Art. : "Kanaan",
  in : **Reallexikon der Assyriologie**, Vol. V, (Berlin - New York,
  1976-1979), pp. 352-355 : - [**EA** = pp. 352-353].

WEIPPERT M., Art. : "Lachish. - A) Philologisch",
  in : **Reallexikon der Assyriologie**, Vol. VI, (Berlin - New York,
  1980-1983), pp. 412-413 : - [**EA** = p. 412].

WEIPPERT M., "Kinaḫḫi",
  in : **Biblische Notizen**, 27/1985, pp. 18-21.

WEIR C.J.M., "Letters from Tell El-Amarna",
  in : **Documents from Old Testament Times**, THOMAS D.W., Ed.,
  (London, 1958), pp. 38-45.

WERNER E.K., **The Amarna Period of Eighteenth Dynasty Egypt.
  - A Bibliography [1965 - 1974]**,
  in : **Newsletter : American Research Center in Egypt [= N.A.R.C.E.]**,
  95 (Fall 1975 - Winter 1976), pp. 15-36.

WERNER E.K., "The Amarna Period of Eighteenth Dynasty Egypt.
  - Bibliographical Supplement",
  in : **Newsletter : American Research Center in Egypt** :
  - [1975] = **N.A.R.C.E.**, 97-98/1976, pp. 29-40;
  - [1976] = **N.A.R.C.E.**, 101-102/1977, pp. 41-65;
  - [1977] = **N.A.R.C.E.**, 106/1978, pp. 41-56;
  - [1978] = **N.A.R.C.E.**, 110/1979, pp. pp. 24-39;
  - [1979] = **N.A.R.C.E.**, 114/1981, pp. 18-34;
  - [1980-1981] = **N.A.R.C.E.**, 120/1982, pp. 3-20;
  - [1982-1983] = **N.A.R.C.E.**, 126/1984, pp. 21-38; [etc.

WESSELIUS J.W., "Three Difficult Passages in Ugaritic Literary Texts",
  in : **Ugarit-Forschungen**, 15/1983, pp. 312-314.

WESTHUIZEN J.P. VAN DER, "Morphology and Morphosyntax of the Verb in the Amqi Amarna Letters",
in : **Journal for Semitics**, 3/1991, pp. 54-84.

WESTHUIZEN J.P. VAN DER, "Morphology and Morphosyntax of the Noun in the Amqi Amarna Letters",
in : **Journal for Semitics**, 5/1993, pp. 18-56 :
- [Cf. / = (Résumés de la) **XXXIX° Rencontre Assyriologique Internationale - Heidelberg, 6 - 10 Juillet 1992**, p. 72].

WHITING R.M., "More about Dual Personal Pronouns in Akkadian",
in : **Journal of Near Eastern Studies**, 36/1977, pp. 209-211 (= p. 209).

WHITING R.M. / Cf. PARDEE D. (1987).

WIGGERMANN F.A.M. / Cf. EDZARD D.O. - WIGGERMANN F.A.M.,
in : **R.l.A.**, Vol. VII (1987-1990), pp. 449-455.

WIGGINS St.A., **A Reassessment of 'Asherah'. - A Study According to the Textual Sources of the First Two Millennia B.C.E.**, in coll. :
"Alter Orient und Altes Testament", Vol. 235, (Kevelaer - Neukirchen/ Vluyn, 1993), XVI + 241 pp. : - "Bibliography" = pp. 199-229 :
- [**EA** : Chap. 5.A.ix : "The Taanach Tablet" = p. 149].

WILHELM G., "Eine altbabylonische Graphik im Hurro-Akkadischen",
in : **Ugarit-Forschungen**, 3/1971, pp. 285-289 :
- [**EA** = pp. 285-286 et 288].

WILHELM G., "Ein Brief der Amarna-Zeit aus Kāmidel-Lōz (KL 72:600)",
in : **Zeitschrift für Assyriologie**, 63/1973, pp. 69-75 (1 Fig.).

WILHELM G., **Grundzüge der Geschichte und Kultur der Hurriter,**
in coll. : "Grundzüge", Vol. 45, (Darmstadt, 1982), IX + 152 pp. (3 Figs.):
- [Ed. : Wissenschaftl. Buchgesellschaft] -
- [**EA** = pp. 2; 4; 41; 81; 107; - "Mitanni-Brief" (**EA 24**) = pp. 1-2;
45-48 (= Trad.); -- "Index" = pp. 143-152 (= pp. 143/B & 148/A)].
- / [Cf. Trad. angl. (1989)] -

C.R. : BUNNENS G., in : **W.d.O.**, 18/1987, pp. 191-192.

WILHELM G., "Die Fortsetzungstafel eines Briefes aus Kāmid el-Lōz",
in : **Bericht über die Ergebnisse der Ausgrabungen in Kāmid el-Lōz in den Jahren 1971 bis 1974**, HACHMANN R., Ed., in coll. : "Saar-brücker Beiträge zur Altertumskunde", Vol. 32, (Bonn, 1982), pp. 123-129:

C.R. : GUBEL E., in : **Bi.Or.**, 44/1987, col. 779-780.

WILHELM G., "Der hurritische Ablativ-Instrumentalis /ne/",
in : **Zeitschrift für Assyriologie**, 73/1983, pp. 96-113 : - [= **EA 24**] -.

WILHELM G., "Die Inschrift auf der Statue der Tatu-Hepa
und die hurritischen deiktischen Pronomina",
in : **Studi Miceni ed Egeo-Anatolici**, 24/1984, pp. 215-222 : [= **EA 24**] -

WILHELM G., "Zur Paläographie der in Ägypten geschriebenen Keilschriftbriefe",
in : **Studien zur Altägyptischen Kultur**, 11/1984, - [= **Festschrift
Wolfgang HELCK zu seinem 70. Geburtstag**, ALTENMÜLLER H. -
WILDUNG D., Eds.], (Hamburg, 1984), pp. 643-653.

WILHELM G., "Hurritische Lexicographie",
in : **Orientalia**, 54/1985, pp. 487-496 :
- [**EA 24** (Mit.) / = C.R. de LAROCHE E. (1980)].

WILHELM G., "Eine hurritische Sammlung von danānu-Omina aus Ḫattusa",
in : **Zeitschrift für Assyriologie**, 77/1987, pp. 229-238
- [+ Photographie (Vs. + Rs.) - entre pp. 230 & 231];
- [**EA 24** (Mit.) = p. 237 (n. 28)].

WILHELM G., **The Hurrians**, [Transl. by BARNES J., - with a Chapter
by STEIN D.L.], (Warminster, 1989), ix + 132 pp. (dont 31 Figs.) :
- [Ed. : Aris & Phillips Ltd.] -
- ["Index" = pp. 127-132 : - "Mittani" = pp. 1-3; 5; 17-21; 24-29].
- / [Cf. WILHELM G. (1982/A) = Trad. de l'Allem.] -.

WILHELM G., **Der Mittani-Brief**, in coll. : "Corpus der Hurritischen Sprachdenkmäler", - II. Abteilung : "Die Texte aus anderen Archiven", Vol. 1 :
- [= **EA 24**] / - en préparation -.

YARGON S., "El-Amarna mu'rast and Biblical Moreshet",
in: **Bar-Ilan Studies in Assyriology Dedicated to Pinhas ARTZI**, KLEIN
J. - SKAIST A., Eds., in coll.: "Bar-Ilan Studies in Near Eastern Languages
and Culture", (Ramat Gan, 1990), pp. 207-220.
- [Ed. : Bar-Ilan University Press] -.

YOUNGBLOOD R.F., **The Amarna Correspondence of Rib-Haddi,
Prince of Byblos (EA 68 - 96)**,
- Unpubl. Ph.D. Diss., The Dropsie College, (Philadelphia, 1961),
xiii + 407 pp. :
- Cf. : **Dissertation Abstracts International**, 33/1972-1973, p. 3517-A;
[= Ann Arbor/Mich. - University Microfilms International :
- Xérocopie N° PTY 72-31957].

YOUNGBLOOD R., "Amorite Influence in a Canaanite Amarna Letter
(**EA 96**)",
in : **Bulletin of the American Oriental Research**, 168/1962, pp. 24-27.

YOUNGBLOOD R., Art. : "Amarna Tablets",
   in : **The International Standard Bible Encyclopedia**, Vol. I [A - D],
   BROMILEY G.W., Ed., (Grand Rapids, 1979), pp. 105-108 (ill.).

ZACCAGNINI C., **Lo scambio dei doni nel Vicino Oriente durante i secoli
   XV-XIII**, in coll. : "Orientis Antiqui Collectio", Vol. XI, (Roma, 1973),
   xii + 224 pp. :

   C.R. : KESTEMONT G., in : **Bi.Or.**; 33/1976, col. 162-163;
         KESTEMONT G., in : **O.L.Z.**, 72/1977, pp. 481-482;
         OELSNER J., in : **Z.A.**, 65/1975, pp. 158-159.

ZACCAGNINI C., "Pferde und Streitwagen in Nuzi.
   - Bemerkungen zur Technologie",
   in : **Jahrbericht des Instituts für Vorgeschichte der Universität
   Frankfurt a.M.**, [= **Referate des Kolloquiums über die "Geschichte
   des 16. Jahrh. v. Chr."** (1 - 2 Dez. 1977)], MULLER-KARPE H., Ed.,
   (München, 1977), pp. 21-38 :
   - [**EA** = pp. 26 (n. 24), 31 (n. 57), 34-35 (nn. 76 et 81) et 37 (n. 92)].

ZACCAGNINI C., "Materiali per una discussione sulla 'moneta primitiva' :
   le coppe d'oro e d'argento nel Vicino Oriente durante il II millennio",
   in : **Annali dell'Istituto Italiano di Numismatica**, 26/1979, pp. 29-49 :
   - [**EA** = pp. 41-42; 47 (n. 77)].

ZACCAGNINI C., "Patterns of Mobility Among Ancient Near Eastern
   Craftmen",
   in : **Journal of Near Eastern Studies**, 42/1983, pp. 245-264 :
   - [**EA** = spéct. pp. 249-257].

ZACCAGNINI C., "L'ambiente palestinese nella documentazione extra-
   biblica del Tardo Bronzo",
   in : **Rivista Biblica** (Ital.), 32/1984, pp. 13-27 : - [**EA** = spéct. pp. 19-26].

ZACCAGNINI C., "On Late Bronze Age Marriages",
   in : **Studi in onore di Edda BRESCIANI**, BONDI S.F. e.a., Eds.,
   (Pisa, 1985), pp. 593-605. - [Ed. : Giardini] -

ZACCAGNINI C., "Aspects of Ceremonial Exchanges in the Near East
   During the Late Second Millennium B.C.",
   in : **Centre and Periphery in the Ancient World**, ROWLANDS M. -
   LARSEN M.T. - KRISTIANSEN K., Eds., (Cambridge, 1987), pp. 57-65.

ZACCAGNINI C., "A Note on Hittite International Relations at the Time
   of Tudhaliya IV",
   in : **Studi G. PUGLIESE CARRATELLI**, IMPARATI F., Ed.,
   (Firenze, 1988), pp. 295-299.

ZACCAGNINI C., "Note sulla redistribuzione dei cereali nel Vicino Oriente del II e I millennio",
in : **Il Pane del Re. - Accumulo e Distribuzione dei Cereali nell'Oriente Antico**, DOLCE R. - ZACCAGNINI C., Eds., in coll. : "Studi di Storia Antica", Vol. 13, (Bologna, 1989), pp. 101-116 : - [Ed. : Clueb] -
- [**EA** : § 4.3 = pp. 110-111] :

    C.R. : FREYDANK H., in : **O.L.Z.**, 86/1991, col. 290-291;
    HRUŠKA B., in : **Ar.Or.**, 59/1991, pp. 328-329;
    MICHEL C., in : **J.E.S.H.O.**, 34/1991, pp. 239-241.

ZACCAGNINI C., "Dono e tributo come modelli istituzionali di scambio : echi e persistenze nella documentazione amministrativa vicino-orientale del Tardo Bronzo",
in : **Scienze dell'Antichità**, 3-4/1989-1990, pp. 105-110.

ZACCAGNINI C., "The Forms of Alliance and Subjugation in the Near East of the Late Bronze Age",
in : **I Trattati nel Mondo Antico : Forma - Ideologia - Funzione**, CANFORA L. - LIVERANI M. - ZACCAGNINI C., Eds., (Roma, 1990), pp. 37-79 : - [**EA** = pp. 40 (n. 8); 48; 53 (nn. 51-52); 63 (nn. 113, 118)].

ZEWI T., **-n(n) Endings of Verb Formations in Arabic, Biblical Hebrew, the Akkadian Language of El-Amarna Tablets and Ugaritic** [Hébreu],
- Unpubl. M.A. Thesis, Tel Aviv University (1987), pp.

ZORN J., ".^{LÚ}PA-MA-ḪA-A in **EA 162**: 74 and the Role of the MHR in Egypt and Ugarit",
in : **Journal of Near Eastern Studies**, 50/1991, pp. 129-138 :

    C.R. : D[RESSLER] H.H.P., in : **Rel. & Theol. Abs.**, 34/1991, N° 4540.

ZORN J., "The Role of the Rābiṣu in the Amarna Archive",
in : (Collectif), **Tell el-Amarna, 1887 - 1987**, BEITZEL B.J.- YOUNG G.D., Eds., (Winona Lake/Ind., 199_), < Forthcoming >
- [Ed. : Eisenbrauns].

Index des textes **EA** [N° **1-380**] cités dans cette <u>Bibliographie</u>

[N.B.: les références aux études sont abrégées sous la forme suivante :
< **AUTEUR(S) (Nom d')** + **DATE (de publication)** >; - la date de publication est suivie d'une lettre de classement: (/A-/B-/C-, etc.) lorsqu'un même auteur a publié plusieurs études dans la même année; une seconde date indique une réédition de la même étude] :

    Cet "Index" est <u>sommaire</u>, chaque référence n'étant reprise que dans la mesure où elle apparaît dans le titre d'une étude (ou dans celui d'un chapitre ou d'un paragraphe de ladite étude)!

    Au plan théorique, il serait certes possible (et sans doute souhaitable, notamment quant à la "résultante biblique") de réaliser un : "<u>Index des monographies et articles</u>" - de même nature que l' "<u>Index des ouvrages de référence</u>", tel qu'il figure dans notre : **Index Documentaire d'El-Amarna**, Vol. 1 [= **IDEA, 1**], (Wiesbaden, 1982), pp. 1-411.

    La base documentaire en est maintenant établie [<u>i.e.</u> la "Bibliographie d'El - Amarna" (ci-dessus), et la méthodologie informatique nécessaire est opérationnelle [cf. **IDEA, 1**, pp. ix - xxxiv]. C'est uniquement par manque de moyens, en crédits et en personnel, que cette phase du projet documentaire n'a pu être menée à bien. - [Une édition provisoire de cet "<u>Index des monographies et articles (1950 à 1980)</u>", (Strasbourg, 1981), 125 pp. est accessible à Paris (Collège de France, Cabinet d'Assyriologie) et à Chicago (The Oriental Institute)].

    Dans le cadre de la "Coopération Assyriologique Internationale", le **GRESA** souhaiterait poursuivre et achever ce projet, en relation avec toute institution de recherche intéressée par cette perspective de "maîtrise de l'information" relative aux textes d'EL-AMARNA, ainsi qu'à ceux de MARI.

Index des textes **EA** cités dans les titres :

14 (I/55-80)	GÖRG M. (1978)
15-16	ARTZI P. (1978)
15	SCHEIL V. (1902)
15	ARTZI P. (1969/B)
16	ARTZI P. (1991)
17-30 (<u>sf.</u> 24)	ADLER H.-P. (1976)
17	DIETRICH M.-LORETZ O. (1985)
24 (= Mitanni)	BRÜNNOW R.E. (1890)
24	JENSEN P. (1890 & 1891)
24	SAYCE A.H. (1890)
24	MESSERSCHMIDT L. (1899)
24	BORK F. (1909 & 1932-33 & 1939)
24	UNGNAD A. (1923-24)
24	GUSTAVS A. (1925 & 1932-33)
24	SKOELD H. (1926)
24	FRIEDRICH J. (1932 & 1935 & 1939 & 1940)
24	GORDON C.H. (1938)
24	SPEISER E.A. (1939 & 1941)
24	GOETZE A. (1939)
24	BRANDENSTEIN C.-G. VON (1940)
24	GELB I.J. (1944 & 1973)
24	LAROCHE E. (1960 & 1968)
24	BUSH F.W. (1964)
24	KAMMENHUBER A. (1968/A & B)
24	DIAKONOFF I.M. (1971)
24	FARBER W. (1971)
24	WILHELM G. (1982; 1983; 1984; 1985; 1987)
24	WILHELM G. c/MORAN W.L. (1987)
24	GIRBAL Ch. (1990)
24	WEGNER I. (1990)
24	DIETRICH M.-MAYER M. (1991 & 1992)
29 (l. 184)	SODEN W. VON (1939)
30	ARTZI P. (1975)
30	DIETRICH M.-LORETZ O. (1985)
31-32	KNUDTZON J.A. (1902)
31-32	HEINHOLD-KRAHMER S. (1977)

31-32	HAAS V. c/MORAN W.L. (1987)
31	ROST L. (1956)
31	FRIEDRICH J. (1960)
32	SCHROEDER O. (1915/D & 1916)
32	KNUDTZON J.A. (1916)
32	HROZNY B. (1931)
35 (ll. 13-14 & 37-39)	ROBERTS J.J.M. (1971)
41 (ll. 39 ss.)	SODEN W. VON (1939)
43	ARTZI P. (1987/B)
43	ARTZI P. (1993/B)
45	ALBRIGHT W.F. (1944/B)
49	EDEL E. (1976)
60-62	IZRE'EL Sh. (1991/A)
64 (ll. 22-23)	KRAHMALKOV Ch. (1971)
64 (ll. 22-23)	LORETZ O.-MAYER W. (1974)
68-96	KOOTZ L. (1895)
68-96	MORAN W.L. (1950/A-B)
68-96	LAMBDIN Th.O. (1953/B)
68-96	YOUNGBLOOD R.F. (1961)
68-96	LIVERANI M. (1971 & 1979)
74	MENDENHALL G.E. (1947)
74 (l. 37)	MENDENHALL G.E. (1954)
82	ALBRIGHT W.F.-MORAN W.L. (1948)
89	ALBRIGHT W.F.-MORAN W.L. (1950)
89	FREU J. (1985)
96	YOUNGBLOOD R.F. (1962)
101	CAVAIGNAC E. (1955)
116	FREU J. (1974)
125	WINCKLER H. (1897/A)
126 (l. 66)	BUNNENS G. (1968-72)

133 (l. 17)	COLOMBOT D. (1990)
137	NA'AMAN N. (1991)
141-143	JIDEJIAN N. (1993)
142 (ll. 7-10)	WATSON W.G.E. (1989)
144 (ll. 12-15)	WATSON W.G.E. (1989)
147	GRAVE C. (1982)
147 (ll. 5-15)	HEINTZ J.-G. (1989)
147 (ll. 9-10)	UEHLINGER Chr. (1990)
147 (ll. 16-27)	GRAVE C. (1980)
153	SCHEIL V. (1902)
154 (l. 8)	HESS R.S. (1991/B)
155	VIROLLEAUD Ch. (1942-45)
155	FREU J. (1985)
156-161	IZRE'EL Sh. (1991/A)
162	HESS R.S. (1990)
162	STIEGLITZ R.R. (1991)
162 (ll. 1-21)	McCARTER P.K. (1973)
162 (l. 74)	ZORN J. (1991)
164-171	IZRE'EL Sh. (1991/A)
164	GALAN J.M. (1992)
170	SMITH S. (1947)
170	DIETRICH M.-LORETZ O. (1969)
209	SCHEIL V. (1890)
227-228	BIENKOWSKI P. (1987)
244 (l. 14)	MEISSNER B. (1928-29)
252-254	HESS R.S. (1993/B)
252	ALBRIGHT W.F. (1943/B)
252	HALPERN B.-HUEHNERGARD J. (1982)
252	DURAND J.-M. (1989)

256	ALBRIGHT W.F. (1943/A)
260	OPPERT J. (1888)
260	ARTZI P. (1968)
271	ENGEL H. (1966)
273-274	BAUER H. (1920)
274 (ll. 10-16)	ALBRIGHT W.F. (1943/A)
282	MILLARD A.R. (1982)
285-290	NATAKA I. (1969)
286	LORETZ O. (1974/A)
286	DIETRICH M.-LORETZ O. (1985)
286	MUNTINGH L.M. (1989)
287	ENGEL H. (1966)
289	DIETRICH M.-LORETZ O. (1985)
290	ENGEL H. (1966)
292	DIETRICH M.-LORETZ O. (1985)
294	MÜLLER W.M. (1899)
295	FREU J. (1985)
296	KATZENSTEIN H.J. (1986)
298	ENGEL H. (1966)
317	ARTZI P. (1968)
318	ARTZI P. (1968)
333	SCHEIL V. (1893)
333	UNGNAD A. (1909/B)
340	ARTZI P. (1993/C)
341	SCHROEDER O. (1915/C)
356	UNGNAD A. (1909/A)
356	EBELING E. (1926/A)
356	BÖHL F.M.Th. (1954-59)

356	BÖHL F.M.Th. (1957-59)
356	BUCCELLATI G. (1973)
356	SODEN W. VON (1976)
356	BING J.D. (1984 & 1986)
356	KAPELRUD A. (1989)
356	TALON Ph. (1990)
356	IZRE'EL Sh. (1991/B & C; 1993/A)
356	DIETRICH M. (1993)
357	OPPENHEIM A.L. (1950)
357	WEIHER E. VON (1971)
357	HUTTER M. (1985)
357	BOTTERO J.-KRAMER S.N. (1989)
357	IZRE'EL Sh. (1993/A)
358	ARTZI P. (1982/1987)
358	ARTZI P. (1993/D)
359-379	RAINEY A.F. (1970 - rééd. 1978)
361	SCHROEDER O. (1917)
364	BIENKOWSKI P. (1987)
365	DONNER H. (1987)
368	SMITH S.-GADD C.J. (1925)
368	ALBRIGHT W.F. (1926)
368	EDEL E. (1975)
368	GÖRG M. (1975)
368	VERGOTE J. (1982)
368	MELTZER E.S. (1988)
369	ENGEL H. (1966)
370-377	GORDON C.H. (1947)
371	IZRE'EL Sh. (1991/A)
374	ARNAUD D. (1982)
380	WALKER C.B.F. (1979).

II° PARTIE

CONCORDANCE DES SIGLES EA

par D. Bauer et J. G. Heintz,
avec une contribution de C. B. F. Walker (British Museum)

CONCORDANCE DES SIGLES **EA**

Section 1: **EA** n° **1-380** (+)

EA n° **1-358** KNUDTZON J.A., *Die El-Amarna-Tafeln, mit Einleitung und Er-läuterungen* (Anmerkungen und Register von O. WEBER und E. EBELING), in coll. V.A.B., vol. 2, (Leipzig, 1915):
= Tome 1 (1915), pp. 60-977 [= 358 N^{os}];
– [réédition anastatique: Aalen, 1964].

EA n° **359-379** RAINEY A.F., *El-Amarna Tablets 359-379. Supplement to J.A.* KNUDTZON, „*Die El-Amarna-Tafeln*, in coll. A.O.A.T., vol. 8, (Kevelaer/Neukirchen-Vluyn, 1970), pp. 6.52 [= 21 N^{os}];
– [2° éd., revue et complétée (1978)].

EA	Lignes (ou: col.)	W	WA	VS	BB	Nr. Mus.	Anc. Nr.	Références bibliographiques:
1	98	1			1	BM 29784		
2	13 + 9'	4 +	2 +	1		VAT 148 +		
2	13 + 9'		5 +	1		VAT 2706 +	C 4745 +	
3	34	2	1			C 4743		
4	50	3	3	2		VAT 1657		
5	33	5	17 +			C 4744 +		
5	33	5			4 +	BM 29787 +		
6	22	6	4	3		VAT 149		
7	82	10 +	7 +	4		VAT 150 +		
7	82			4		VAT YY4 +		
8	47	11	8	5		VAT 152		
9	38	7			2	BM 29785		
10	49	8			3	BM 29786		
11	29 + 34'	12 +	218/225 +	6		VAT 1878 +		
11	29 + 34'	9 +	6 +	6		VAT 151 +		
12	26	13	188	7		VAT 1605		
13	33 + 29'		216	197		VAT 1717		
14	4 col.					0 7 +		Sayce/Petrie Nr. 8
14	4 col.		209 +	198 +		VAT 2711 +	C 4794 +	
14	4 col.	294 +	28 +	198 +		VAT 1651 +		
15	22					MMA 24211	Chassin.1	BIFAO 2/1902, 114
16	55	15	9			C 4746		
17	54	16			9	BM 29792		
18	10 + 7'		217 +	8		VAT 1880 +		
18	10 + 7'	P.415 +	230/226 +	8		VAT 1879 +		
19	85	17			8	BM 29791		
20	84	18	22	9		VAT 191		

EA	Lignes (ou: col.)	W	WA	VS	BB	Nr. Mus.	Anc. Nr.	Références bibliographiques:
21	41	19	21	10		VAT 190		
22	4 col.	296	26	199		VAT 395		
23	32 + 3	20			10	BM 29793		
24	4 col.			200		VAT 2196,1 +		MVAG 14/1909,1/2, 84-123
24	4 col.			200		VAT 2196,2 +		MVAG 14/1909,1/2, 84-123
24	4 col.			200		VAT 2196,7 +		MVAG 14/1909,1/2, 84-123
24	4 col.			200		VAT 2196,8 +		MVAG 14/1909,1/2, 84-123
24	4 col.		210,5 +	200		VAT, 1621 +		MVAG 14/1909,1/2, 84-123
24	4 col.		27 +	200		VAT 422 +		MVAG 14/1909,1/2, 84-123
25	4 col.			201		VAT 2191 +		
25	4 col.			201		VAT 2197,2 +		
25	4 col.	295 +	25	201		VAT 340 +		
26	66 + 1	22			11 +	BM 29794 +		
26	66 + 1	22				HM 118 +	Murch +	AJSL 33/1916, 7-8
27	114 + 1			11		VAT 2193 +		
27	114 + 1			11		VAT 2197,1 +		
27	114 + 1	23 +	23 +	11		VAT 233 +		
28	49	24				BM 37645	Rost.1901	MMAFC 6/1892, 302
29	189			12		VAT 2192 +		
29	189			12		VAT 2194 +		
29	189			12		VAT 2195 +		VAB 2/1, 1915, 994
29	189			12		VAT 2196,3 +		
29	189			12		VAT 2196,4 +		
29	189			12		VAT 2196,5 +		
29	189			12		VAT 2196,6 +		
29	189			12		VAT 2197,3 +		
29	189			12		VAT 2197,4 +		
29	189			12		VAT 2197,5 +		
29	189			12		VAT YY3 +		
29	189	21 +	24 +	12		VAT 271 +		
29	189		210,1 +	12		VAT 1600 +		
29	189		210,2 +	12		VAT 1618 +		
29	189		210,3 +	12		VAT 1619 +		
29	189		210,4 +	12		VAT 1620 +		
30	13	14			58	BM 29841		
31	38		10			C 4741		Goetze, VBT Nr. 1

EA	Lignes (ou: col.)	W	WA	VS	BB	Nr. Mus.	Anc. Nr.	Références bibliographiques:
32	25		238	202		VAT 342		Goetze, VBT Nr. 2
33	32	30	15	13		VAT 1654		
34	53	27			6	BM 29789		
35	55	25			5	BM 29788		
36	24		20 +			C 4750	C 4750 +	
36	24	31 +	19 +			C 4750	VAT 1653 +	
37	29	26			7	BM 29790		
38	30	28	11	14		VAT 153		
39	20 + 1	29	12			C 4748		
40	28	32 +	13 +			C 4749	VAT 1652 +	
40	28	33 +	14 +			C 4749	C 4749 +	
41	43	35	18			C 4747		
42	28	34	16	15		VAT 1655		
43	35					0 1		Sayce/Petrie Nr. 1
44	28	36	29	16		VAT 1656		
45	48	287	177	17		VAT 1692		
46	29	288	179	18		VAT 1694		
47	30	286	176	19		VAT 1693		
48	9	292	181	20		VAT 1690		
49	29	222 +	204 +			C 4783	C 4783 +	
49	29	289 +	180 +			C 4783	VAT 1691 +	
50	12	293	191	21		VAT 1594		
51	11 + 17'	37	30	22		VAT 559		
52	46	290 +	196 +			C 4759	C 4759 +	
52	46					C 4759	VAT 1596 +	

EA	Lignes (ou: col.)	W	WA	VS	BB	Nr. Mus.	Anc. Nr.	Références bibliographiques:
53	70	139			37	BM 29820		
54	57	140	232/229 +	23		VAT 1868 +		
54	57	140	233/229 +	23		VAT 1869 +		
54	57	140		23		VAT 1721 +		
55	66	138			38	BM 29819		
56	51	136	173	24		VAT 1714		
57	13 + 7'			25		VAT 1738		
58	10 + 11'	118 +	214	26		VAT 1716		
58	10 + 11'	P.415 +	214	26		VAT 1716		
59	46	41			41	BM 29824		
60	32	38	97	27		VAT 343		
61	5 + 9'					0 4		Sayce/Petrie Nr. 3
62	55	126	158	28		VAT 1680		
63	16	40			34	BM 29817		
64	23	39			33	BM 29816		
65	13	270	175	29		VAT 1685		
66	13			30		VAT 1702		
67	21 + 12'	121	186	31		VAT 1591		
68	32	88	80	32		VAT 1239		
69	39	281			73	BM 29856		
70	31	112	67			Golenis.1		
71	35	54	72	33		VAT 1632		
72	32			34		VAT 1712		
73	45	57			15	BM 29798		
74	65	55			12	BM 29795		

EA	Lignes (ou: col.)	W	WA	VS	BB	Nr. Mus.	Anc. Nr.	Références bibliographiques:
75	50	79	79			C 4757		
76	46	56	74	35		VAT 324		
77	37	111 +	81 +	36		VAT 1635 +		
77	37			36		VAT 1700 +		
78	41	62	84	37		VAT 1282		
79	47	60	75	38		VAT 1634		
80	34			39		VAT 1711		
81	59	64	89	40		VAT 1318		
82	52	59				BM 37648	Rost.1902	MMAFC 6/1892, 306
83	57	61			14	BM 29797		
84	44	53	73	41		VAT 1633		
85	87	69	48	42		VAT 1626		
86	50	66 +			21	BM 29805		
86	50	90 +			21	BM 29805		
87	31	67			22	BM 29804		
88	51	65			17	BM 29800		
89	67	70	49	43		VAT 1627		
90	64	93	53	44		VAT 1661		
91	49	102	56	45		VAT 931		
92	57	58	50	46		VAT 868		
93	28	68	55	47		VAT 1663		
94	78	115	78			C 4756		
95	53	110	70	48		VAT 1668		
96	33	89	82	49		VAT 1238		

EA	Lignes (ou: col.)	W	WA	VS	BB	Nr. Mus.	Anc. Nr.	Références bibliographiques:
97	21	223	183	50		VAT 1598		
98	26	123	128	51		VAT 1675		
99	26	276	202			C 4742		
100	43	122			42	BM 29825		
101	38	124			44	BM 29827		
102	38	82			23	BM 29806		
103	57	78	77	52		VAT 1208		
104	54	86	60			C 4751		
105	89	84	51	53		VAT 1628		
106	49	85	43	54		VAT 344		
107	48	80	41	55		VAT 346		
108	69	83	42	56		VAT 345		
109	69	101	52	57		VAT 1629		
110	58	107 +	64AEBC	58		VAT 1666		
111	28	113	68	59		VAT 1631		
112	59	74	57	61		VAT 1664		
113	49	106	63			C 4753		
114	69	81			13	BM 29796		
115	23	114	69	60		VAT 1630		
116	80	87	61			C 4752		
117	94	75	45	62		VAT 350		
118	56	92 +	54 +	63 +		VAT 1662 +		
118	56	98 +			25 +	BM 29808 +		
119	59	72	44	64		VAT 349		

EA	Lignes (ou: col.)	W	WA	VS	BB	Nr. Mus.	Anc. Nr.	Références bibliographiques:
120	45	116	85	65		VAT 1636		
121	63	73	59	66		VAT 1665		
122	55	100	47	67		VAT 1625		
123	43	77			20	BM 29803		
124	67	103 +	62 +			C 4755	C 4755 +	
124	67	107 +	64D +			C 4755	VAT 1666 +	
124	67	108 +	65 +			C 4755	C 4755 +	
125	45	76			19	BM 29802		
126	66	104	76	68		VAT 1183		
127	46	137	184	69		VAT 1687		
128	31	P.415	227	71		VAT 1873		
129	98	105 +	87 +	70		VAT 1638 +		
129	98	63 +	86 +	70		VAT 1637 +		
130	52	99	46	72		VAT 1624		
131	62	97			24	BM 29807		
132	59	94			18	BM 29801		
133	19	109	66	74		VAT 1667		
134	41	95	83			C 4754		
135	25					0 3		Sayce/Petrie Nr. 2
136	46	96			16	BM 29799		
137	103	71	71			Golenis. 2		
138	138	91	58	73		VAT 351		
139	40	120			45	BM 29828		
140	33	119	91	75		VAT 1639		
141	48	128			26	BM 29809		

EA	Lignes (ou: col.)	W	WA	VS	BB	Nr. Mus.	Anc. Nr.	Références bibliographiques:
142	33	129			27	BM 29810		
143	41	129A +	211 +	78		VAT 1584 +		
143	41	130 +	203 +			C 4764 +		
144	34	147	90	76		VAT 323		
145	37	148	182	77		VAT 1695		
146	38	155	231	79 +		VAT 1871		
147	71	149			29	BM 29812		
148	47	154	99			C 4765		
149	84	150			28	BM 29811		
150	37	153	98			C 4766		
151	70	151			30	BM 29813		
152	66			80		VAT 1719		
153	20					MMA 24212	Chassin.2	BIFAO 2/1902, 116
154	29	156	162	81		VAT 1718		
155	71	152	228 +	82 +		VAT 1872 +		
155	71	152			31 +	BM 29814 +		
156	14	42	34	83		VAT 337		
157	41	49	36	84		VAT 624		
158	38	44	40			C 4758		
159	46	P.408-9	35	85		VAT 1658		
160	44	48	34A			Golenis. 3		
161	56	51			35	BM 29818		
162	81	50	92	86		VAT 347		
163	5 + 5'			87		VAT 1885		

EA	Lignes (ou: col.)	W	WA	VS	BB	Nr. Mus.	Anc. Nr.	Références bibliographiques:
164	44	45	38	88		VAT 249		
165	45	47	33	89		VAT 325		
166	32	46	31	90		VAT 250		
167	34	P.408	32	91		VAT 326		
168	12 + 16'	43	37	92		VAT 1659		
169	47	52	39	93		VAT 1660		
170	44	125	143	94		VAT 327		
171	37	285	185	95		VAT 1723		
172	5		224	96		VAT 1877		
173	16	P.415	222	97		VAT 1875		
174	26	131	160	98		VAT 1585		
175	20	132	163	99		VAT 1588		
176	20	133			46	BM 29829		
177	10	267	170	101		VAT 1684		
178	26	258	146	100		VAT 1677		
179	29	127	171	103		VAT 1703		
180	24	117	198			C 4788		
181	26			102		VAT 1623		
182	15	232	130	104		VAT 1615		
183	9	233	192	105		VAT 1595		
184	8					0 2		Sayce/Petrie Nr. 18 bis
185	76	134	189	106		VAT 1725		
186	85	135	193	107		VAT 1724		

EA	Lignes (ou: col.)	W	WA	VS	BB	Nr. Mus.	Anc. Nr.	Références bibliographiques:
187	25	249			77	BM 29860		
188	8	208				C 4793		
189	20 + 27'	146	142	108		VAT 336		
190	12					0 5		Sayce/Petrie Nr. 4
191	21	175	125			C 4760		
192	17	176	126	109		VAT 1674		
193	24	264	161	110		VAT 1608		
194	32			112		VAT 1705		
195	32	144	96			C 4761		
196	43	143		111		VAT 1710 +		
196	43	143	159 +	111		VAT 1592 +		
197	43	142			43	BM 29826		
198	31	141	152			C 4763		
199	21	145	205			C 4789		
200	16	291	164	113		VAT 1622		
201	24	161	132	114		VAT 338		
202	19	253	135	115		VAT 331		
203	19	252	134	116		VAT 330		
204	20	251	133	117		VAT 328		
205	18	250			78	BM 29861		
206	17	263	151			C 4762		
207	21	273	194	118		VAT 1593		
208	14			119		VAT 1699		
209	16	261	149A			AO 2036		RA 19/1922, 101

EA	Lignes (ou: col.)	W	WA	VS	BB	Nr. Mus.	Anc. Nr.	Références bibliographiques:
210	6	P.415	223	120		VAT 1876		
211	25	246	140	121		VAT 1648		
212	14	247	141	122		VAT 1587		
213	15	248			76	BM 29859		
214	33			123		VAT 1607		
215	17	230			60	BM 29843		
216	20	231	195			C 4784		
217	23			124		VAT 1604		
218	17			125		VAT 1696		
219	34			126		VAT 1720		
220	31	262	150			C 4785		
221	16	254	136	127		VAT 341		
222	11			128		VAT 1683		
223	10	272	220	129		VAT 1870		
224	18	221			66	BM 29849		
225	13	220	131			C 4787		
226	21	242	157	130		VAT 1610		
227	28	202			47	BM 29830		
228	25	203			48	BM 29831		
229	7	271	178	131		VAT 1689		
230	22	238				BM 37646	Rost.1903	MMAFC 6/1892, 309
231	19	277	212	132		VAT 1599		
232	20	157	93	133		VAT 1640		

EA	Lignes (ou: col.)	W	WA	VS	BB	Nr. Mus.	Anc. Nr.	Références bibliographiques:
233	20	158	94			C 4767		
234	35	159	95	134		VAT 1641		
235	11	160			32	BM 29815		
236	7					0 6		Sayce/Petrie Nr. 16
237	24			135		VAT 1701		
238	38	268	219	136		VAT 1867		
239	27	255	139	137		VAT 334		
240	8			138		VAT 2198 +		
240	8			138		VAT 2707 +	C 4790 +	
241	20	260	148	139		VAT 1678		
242	17	194	114	140		VAT 1670		
243	22	193	113	141		VAT 1669		
244	43	195	115			C 4768		
245	47	196			72	BM 29855		
246	9 + 11'	192	111	142		VAT 1649		
247	21		207			C 4792		
248	22	197			59	BM 29842		
249	30	186	149	143		VAT 1603		
250	60	164	154			C 4769		
251	15 + 2	282			79	BM 29862		
252	31	162			61	BM 29844		
253	35	177	155	144		VAT 1589		
254	64 + 1	163	112	145		VAT 335		
255	25	256	144	146		VAT 333		

EA	Lignes (ou: col.)	W	WA	VS	BB	Nr. Mus.	Anc. Nr.	Références bibliographiques:
256	35	237			64	BM 29847		
257	22	188	168	147		VAT 1715		
258	9	187	167	148		VAT 329		
259	8	278	213	149		VAT 1582		
260	16					Oppert		CRAIBL 41/1888, 253
261	10	244			75	BM 29858		
262	11	245	127			C 4786		
263	34	191	169	150		VAT 1688		
264	25	189			70	BM 29853		
265	15	265	165	151		VAT 1697		
266	33	190	156	152		VAT 1590		
267	20	169	109			C 4771		
268	20	168	108	153		VAT 1532		
269	17	172			63	BM 29846		
270	29	171			62	BM 29845		
271	27	170	110	154		VAT 1531		
272	25	283			80	BM 29863		
273	26	173	137	155		VAT 1686		
274	18	174	138			C 4773		
275	14	266	166	156		VAT 1682		
276	15	274	187	157		VAT 1706		
277	12	284			81	BM 29864		
278	15	200			69	BM 29852		

EA	Lignes (ou: col.)	W	WA	VS	BB	Nr. Mus.	Anc. Nr.	Références bibliographiques:
279	23	167	107	158		VAT 1647		
280	40	165	100			C 4772		
281	31	201	190	159		VAT 1681		
282	16	199			68	BM 29851		
283	33	166	101	160		VAT 339		
284	35	198			67	BM 29850		
285	31	184	174	161		VAT 1601		
286	64	179	102	162		VAT 1642		
287	78	180	103	163		VAT 1644		
288	66	181	104	164		VAT 1643		
289	51	182 +	105 +	165		VAT 1645 +		
289	51	185 +	199 +	165		VAT 2709 +	C 4770 +	
290	30	183	106	166		VAT 1646		
291	25			167		VAT 1713		
292	52	239				BM 37647	Rost.1900	MMAFC 6/1892, 298
293	22	275	201			C 4774		
294	35	178			71	BM 29854		
295	22 + 10'	240	88	168		VAT 1650		
296	39	214			57	BM 29840		
297	21	206			51	BM 29834		
298	33	205			50	BM 29833		
299	26	204			49	BM 29832		
300	28			171		VAT 1606		
301	23	228	117			C 4781		

EA	Lignes (ou: col.)	W	WA	VS	BB	Nr. Mus.	Anc. Nr.	Références bibliographiques:
302	18	229	120	172		VAT 332		
303	21	224			38	BM 29821		
304	23	225			39	BM 29822		
305	24	227	116			C 4780		
306	43	226			40	BM 29823		
307	12	279	215	170		VAT 1586		
308	8 + 9'	269	172	173		VAT 1602		
309	28	P.415	221	174		VAT 1874		
310	17			169		VAT 1698		
311	19			175		VAT 1597		
312	20			176		VAT 1709A +		
312	20			176		VAT 1886 +		
313	21	280	197			C 4782		
314	22	234	153			C 4778		
315	18	236			56	BM 29839		
316	25	235			55	BM 29838		
317	25	215	129	177		VAT 1676		
318	22	216			74	BM 29857		
319	23	257	145	178		VAT 1722		
320	25	212	121			C 4777		
321	26	211	119	182		VAT 1671		
322	24	210	118			C 4776		
323	23	208			53	BM 29836		
324	19	209			54	BM 29837		

EA	Lignes (ou: col.)	W	WA	VS	BB	Nr. Mus.	Anc. Nr.	Références bibliographiques:
325	22	207			52	BM 29835		
326	23	213	122	183		VAT 1672		
327	11		206			C 4791		
327	11					C 4791	VAT 1882 +	
328	26	218	124			C 4775		
329	20	217	123	181		VAT 1673		
330	21	241			65	BM 29848		
331	23	243	200			C 4779		
332	6			184		VAT 1883		
333	26	219				F 11		RT 15/1893, 137
334	11			185		VAT 1609		
335	20	P.414		186		VAT 1616 +		
335	20	P.414		186		VAT 1708 +		
336	9			188		VAT 1707		
337	30	259	147	187		VAT 1679		
338	14			189		VAT 1884		
339	7			180		VAT 1887		
340	8			191		VAT 1583		
341	11			192		VAT 1704		
342	9					0 8		Sayce/Petrie Nr. 7
343	6					0 YY1		
344	7					0 16		Sayce/Petrie Nr. 10
345	10					0 15		Sayce/Petrie Nr. 17
346	12					0 12		Sayce/Petrie Nr. 13

EA	Lignes (ou: col.)	W	WA	VS	BB	Nr. Mus.	Anc. Nr.	Références bibliographiques:
347	4					0 17		Sayce/Petrie Nr. 15
348	7 + 12'					0 14		Sayce/Petrie Nr. 12
349	7					0 YY2		
350	7 + 5'					0 18		Sayce/Petrie Nr. 18
351	14 + 6'					0 9		Sayce/Petrie Nr. 5
352	8					0 10		Sayce/Petrie Nr. 6
353	7					0 13		Sayce/Petrie Nr. 14
354	10 + 9'					0 11		Sayce/Petrie Nr. 11
355	11 + 1					0 YY3		Sayce/Petrie Nr. 9
356	71		240	194		VAT 348		
357	88		234 +	195 +		VAT 1611 +		
357	88		236 +	195 +		VAT 1614 +		
357	88		237 +	195 +		VAT 1613 +		
357	88		239A,BA +	195 +		VAT 2710 +	C 4795 +	
357	88				82 +	BM 29865 +		
358	37			196		VAT 1617 +		
358	37		235 +	196		VAT 1612 +		
358	37		239BB +	196		VAT 2708 +	C 4796 +	
359	35 + 29'	359		193		VAT YY1		MDOG 55/1914, Pl. 6-7
360	5	360		179		VAT 1709B		AOAT 8/1970, 12
361	6	361				VAT 3780		OLZ 20/1917, 106
362	69	129A				AO 7093		RA 19/1922, 102-103
363	23	176A				AO 7097		RA 19/1922, 107
364	28	256A				AO 7094		RA 19/1922, 104
365	31	248A				AO 7098		RA 19/1922, 108
366	34	290A				AO 7096		RA 19/1922, 106

EA	Lignes (ou: col.)	W	WA	VS	BB	Nr. Mus.	Anc. Nr.	Références bibliographiques:
367	25	222A				AO 7095		RA 19/1922, 105
368	17 + 11'					0 1154		JEA 11/1925, 233
369	32	31A				E 6753		RA 31/1934, 127
370	29					BM 134870	EES 8	Or. (NS) 16/1947, 15
371	39					BM 134868	EES 6	Or. (NS) 16/1947, 16-17
372	6					BM 134872	EES 9	Or. (NS) 16/1947, 17
373	18					BM 134864	EES 2	Or. (NS) 16/1947, 18
374	34					BM 134863	EES 1	Or. (NS) 16/1947, 19-20
375	2'					BM 134866	EES 4	Or. (NS) 16/1947, 20-21
376	8 + 2'					BM 134865	EES 3	Or. (NS) 16/1947, 21
377	3					BM 134871	EES 10	Or. (NS) 16/1947, 21
378	26					B 50745		PEQ 100/1965, Pl. 25
379	13	354A		190		VAT YY2		MDOG 55/1914, 40
380						BM 58364		Walker, JCS 31/1979, 249
– – –								
381						VAT 3781		OLZ 20/1917, 105-106 + 69/1974, 262
382						VAT 8525		OLZ 69/1974, 262
XX1						VAT 2195		VAB 2/1, 1915, 12
XX2						VAT 2197,6		VAB 2/1, 1915, 12
XX3						BM 134867	EES 5	Pendlebury, 3/1, 120(127E)
XX4						BM 134869	EES 7	Pendlebury, 381, 120(127D)

CONCORDANCE DES SIGLES **EA**

Section 2: **W** n° **1-296** / (+ Mercer):

W

WINKLER H., *Die Thontafeln von Tell-El-Amarna, in coll. „Keilinschriftliche Bibliothek"*, vol. 5, [E. SCHRADER, Ed.], (Berlin, 1896), xxxvi + 415 + 50* pp. [= 296 N^{os}];

N.B.: Pour les N° **31A – 129A – 176A – 222A – 248A – 256A – 290A – 354A – 355A – 359 – 360 – 361 (uniquement)**, l'ouvrage de référence est ici:

(MERCER)

MERCER S.A.B., *The Tell El-Amarna Tablets*, Vol. I-II, (Toronto, 1939), xxiv + 909 pp., 2 Planches & 1 Carte.

W	EA	Lignes (ou: col.)	WA	VS	BB	Mus. Nr.	Anc. Nr.	Références bibliographiques:
1	1	98			1	BM 29784		
2	3	34	1			C 4743		
3	4	50	3	2		VAT 1657		
4 +	2	13 + 9'	2 +	1		VAT 148 +		
5	5	33	17 +			C 4744 +		
5	5	33			4 +	BM 29787 +		
6	6	22	4	3		VAT 149		
7	9	38			2	BM 29785		
8	10	49			3	BM 29786		
9 +	11	29 + 34'	6 +	6		VAT 151 +		
10 +	7	82	7 +	4		VAT 150 +		
11	8	47	8	5		VAT 152		
12 +	11	29 + 34'	218/225 +	6		VAT 1878 +		
13	12	26	188	7		VAT 1605		
14	30	13			58	BM 29841		
15	16	55	9			C 4746		
16	17	54			9	BM 29792		
17	19	85			8	BM 29791		
18	20	84	22	9		VAT 191		
19	21	41	21	10		VAT 190		
20	23	32 + 3			10	BM 29793		
21 +	29	189	24 +	12		VAT 271 +		
22	26	66 + 1				HM 118 +	Murch +	AJSL 33/1916, 7-8
22	26	66 + 1			11 +	BM 29794 +		

W	EA	Lignes (ou: col.)	WA	VS	BB	Nr. Mus.	Anc. Nr.	Références bibliographiques:
23 +	27	114 + 1	23 +	11		VAT 233 +		
24	28	49				BM 37645	Rost.1901	MMAFC 6/1892, 302
25	35	55			5	BM 29788		
26	37	29			7	BM 29790		
27	34	53			6	BM 29789		
28	38	30	11	14		VAT 153		
29	39	20 + 1	12			C 4748		
30	33	32	15	13		VAT 1654		
31 +	36	24	19 +			C 4750	VAT 1653 +	
31A	369	32				E 6753		RA 31/1934, 127
32 +	40	28	13 +			C 4749	VAT 1652 +	
33 +	40	28	14 +			C 4749	C 4749 +	
34	42	28	16	15		VAT 1655		
35	41	43	18			C 4747		
36	44	28	29	16		VAT 1656		
37	51	11 + 17'	30	22		VAT 559		
38	60	32	97	27		VAT 343		
39	64	23			33	BM 29816		
40	63	16			34	BM 29817		
41	59	46			41	BM 29824		
42	156	14	34	83		VAT 337		
43	168	12 + 16'	37	92		VAT 1659		
44	158	38	40			C 4758		

W	EA	Lignes (ou: col.)	WA	VS	BB	Nr. Mus.	Anc. Nr.	Références bibliographiques:
45	164	44	38	88		VAT 249		
46	166	32	31	90		VAT 250		
47	165	45	33	89		VAT 325		
48	160	44	34A			Golenis. 3		
49	157	41	36	84		VAT 624		
50	162	81	92	86		VAT 347		
51	161	56			35	BM 29818		
52	169	47	39	93		VAT 1660		
53	84	44	73	41		VAT 1633		
54	71	35	72	33		VAT 1632		
55	74	65			12	BM 29795		
56	76	46	74	35		VAT 324		
57	73	45			15	BM 29798		
58	92	57	50	46		VAT 868		
59	82	52				BM 37648	Rost.1902	MMAFC 6/1892, 306
60	79	47	75	38		VAT 1634		
61	83	57			14	BM 29797		
62	78	41	84	37		VAT 1282		
63 +	129	98	86 +	70		VAT 1637 +		
64	81	59	89	40		VAT 1318		
65	88	51			17	BM 29800		
66 +	86	50			21	BM 29805		
67	87	31			22	BM 29804		

W	EA	Lignes (ou: col.)	WA	VS	BB	Nr. Mus.	Anc. Nr.	Références bibliographiques:
68	93	28	55	47		VAT 1663		
69	85	87	48	42		VAT 1626		
70	89	67	49	43		VAT 1627		
71	137	103	71			Golenis. 2		
72	119	59	44	64		VAT 349		
73	121	63	59	66		VAT 1665		
74	112	59	57	61		VAT 1664		
75	117	94	45	62		VAT 350		
76	125	45			19	BM 29802		
77	123	43			20	BM 29803		
78	103	57	77	52		VAT 1208		
79	75	50	79			C 4757		
80	107	48	41	55		VAT 346		
81	114	69			13	BM 29796		
82	102	38			23	BM 29806		
83	108	69	42	56		VAT 345		
84	105	89	51	53		VAT 1628		
85	106	49	43	54		VAT 344		
86	104	54	60			C 4751		
87	116	80	61			C 4752		
88	68	32	80	32		VAT 1239		
89	96	33	82	49		VAT 1238		
90 +	86	50			21	BM 29805		

W	EA	Lignes (ou: col.)	WA	VS	BB	Nr. Mus.	Anc. Nr.	Références bibliographiques:
91	138	138	58	73		VAT 351		
92 +	118	56	54 +	63 +		VAT 1662 +		
93	90	64	53	44		VAT 1661		
94	132	59			18	BM 29801		
95	134	41	83			C 4754		
96	136	46			16	BM 29799		
97	131	62			24	BM 29807		
98 +	118	56			25 +	BM 29808 +		
99	130	52	46	72		VAT 1624		
100	122	55	47	67		VAT 1625		
101	109	69	52	57		VAT 1629		
102	91	49	56	45		VAT 931		
103 +	124	67	62 +			C 4755	C 4755 +	
104	126	66	76	68		VAT 1183		
105 +	129	98	87 +	70		VAT 1638 +		
106	113	49	63			C 4753		
107 +	110	58	64AEBC	58		VAT 1666		
107 +	124	67	64D +			C 4755	VAT 1666 +	
108 +	124	67	65 +			C 4755	C 4755 +	
109	133	19	66	74		VAT 1667		
110	95	53	70	48		VAT 1668		
111 +	77	37	81 +	36		VAT 1635 +		
112	70	31	67			Golenis.1		
113	111	28	68	59		VAT 1631		

W	EA	Lignes (ou: col.)	WA	VS	BB	Nr. Mus.	Anc. Nr.	Références bibliographiques:
114	115	23	69	60		VAT 1630		
115	94	78	78			C 4756		
116	120	45	85	65		VAT 1636		
117	180	24	198			C 4788		
118 +	58	10 + 11'	214	26		VAT 1716		
119	140	33	91	75		VAT 1639		
120	139	40			45	BM 29828		
121	67	21 + 12'	186	31		VAT 1591		
122	100	43			42	BM 29825		
123	98	26	128	51		VAT 1675		
124	101	38			44	BM 29827		
125	170	44	143	94		VAT 327		
126	62	55	158	28		VAT 1680		
127	179	29	171	103		VAT 1703		
128	141	48			26	BM 29809		
129	142	33			27	BM 29810		
129A	362	69				AO 7093		RA 19/1922, 102-103
129A +	143	41	211 +	78		VAT 1584 +		
130 +	143	41	203 +			C 4764 +		
131	174	26	160	98		VAT 1585		
132	175	20	163	99		VAT 1588		
133	176	20			46	BM 29829		
134	185	76	189	106		VAT 1725		
135	186	85	193	107		VAT 1724		

W	EA	Lignes (ou: col.)	WA	VS	BB	Nr. Mus.	Anc. Nr.	Références bibliographiques:
136	56	51	173	24		VAT 1714		
137	127	46	184	69		VAT 1687		
138	55	66			38	BM 29819		
139	53	70			37	BM 29820		
140	54	57		23		VAT 1721 +		
140	54	57	232/229 +	23		VAT 1868 +		
140	54	57	233/229 +	23		VAT 1869 +		
141	198	31	152			C 4763		
142	197	43			43	BM 29826		
143	196	43		111		VAT 1710 +		
143	196	43	159 +	111		VAT 1592 +		
144	195	32	96			C 4761		
145	199	21	205			C 4789		
146	189	20 + 27'	142	108		VAT 336		
147	144	34	90	76		VAT 323		
148	145	37	182	77		VAT 1695		
149	147	71			29	BM 29812		
150	149	84			28	BM 29811		
151	151	70			30	BM 29813		
152	155	71	228 +	82 +		VAT 1872 +		
152	155	71			31 +	BM 29814 +		
153	150	37	98			C 4766		
154	148	47	99			C 4765		
155	146	38	231	79 +		VAT 1871		
156	154	29	162	81		VAT 1718		

W	EA	Lignes (ou: col.)	WA	VS	BB	Nr. Mus.	Anc. Nr.	Références bibliographiques:
157	232	20	93	133		VAT 1640		
158	233	20	94			C 4767		
159	234	35	95	134		VAT 1641		
160	235	11			32	BM 29815		
161	201	24	132	114		VAT 338		
162	252	31			61	BM 29844		
163	254	64 + 1	112	145		VAT 335		
164	250	60	154			C 4769		
165	280	40	100			C 4772		
166	283	33	101	160		VAT 339		
167	279	23	107	158		VAT 1647		
168	268	20	108	153		VAT 1532		
169	267	20	109			C 4771		
170	271	27	110	154		VAT 1531		
171	270	29			62	BM 29845		
172	269	17			63	BM 29846		
173	273	26	137	155		VAT 1686		
174	274	18	138			C 4773		
175	191	21	125			C 4760		
176	192	17	126	109		VAT 1674		
176A	363	23				AO 7097		RA 19/1922, 107
177	253	35	155	144		VAT 1589		
178	294	35			71	BM 29854		

W	EA	Lignes (ou: col.)	WA	VS	BB	Nr. Mus.	Anc. Nr.	Références bibliographiques:
179	286	64	102	162		VAT 1642		
180	287	78	103	163		VAT 1644		
181	288	66	104	164		VAT 1643		
182 +	289	51	105 +	165		VAT 1645 +		
183	290	30	106	166		VAT 1646		
184	285	31	174	161		VAT 1601		
185 +	289	51	199 +	165		VAT 2709 +	C 4770 +	
186	249	30	149	143		VAT 1603		
187	258	9	167	148		VAT 329		
188	257	22	168	147		VAT 1715		
189	264	25			70	BM 29853		
190	266	33	156	152		VAT 1590		
191	263	34	169	150		VAT 1688		
192	246	9 + 11'	111	142		VAT 1649		
193	243	22	113	141		VAT 1669		
194	242	17	114	140		VAT 1670		
195	244	43	115			C 4768		
196	245	47			72	BM 29855		
197	248	22			59	BM 29842		
198	284	35			67	BM 29850		
199	282	16			68	BM 29851		
200	278	15			69	BM 29852		
201	281	31	190	159		VAT 1681		

W	EA	Lignes (ou: col.)	WA	VS	BB	Nr. Mus.	Anc. Nr.	Références bibliographiques:
202	227	28			47	BM 29830		
203	228	25			48	BM 29831		
204	299	26			49	BM 29832		
205	298	33			50	BM 29833		
206	297	21			51	BM 29834		
207	325	22			52	BM 29835		
208	188	8				C 4793		
208	323	23			53	BM 29836		
209	324	19			54	BM 29837		
210	322	24	118			C 4776		
211	321	26	119	182		VAT 1671		
212	320	25	121			C 4777		
213	326	23	122	183		VAT 1672		
214	296	39			57	BM 29840		
215	317	25	129	177		VAT 1676		
216	318	22			74	BM 29857		
217	329	20	123	181		VAT 1673		
218	328	26	124			C 4775		
219	333	26				F 11		RT 15/1893, 137
220	225	13	131			C 4787		
221	224	18			66	BM 29849		
222A	367	25				AO 7095		RA 19/1922, 105
222 +	49	29	204 +			C 4783	C 4783 +	
223	97	21	183	50		VAT 1598		

W	EA	Lignes (ou: col.)	WA	VS	BB	Nr. Mus.	Anc. Nr.	Références bibliographiques:
224	303	21			38	BM 29821		
225	304	23			39	BM 29822		
226	306	43			40	BM 29823		
227	305	24	116			C 4780		
228	301	23	117			C 4781		
229	302	18	120	172		VAT 332		
230	215	17			60	BM 29843		
231	216	20	195			C 4784		
232	182	15	130	104		VAT 1615		
233	183	9	192	105		VAT 1595		
234	314	22	153			C 4778		
235	316	25			55	BM 29838		
236	315	18			56	BM 29839		
237	256	35			64	BM 29847		
238	230	22				BM 37646	Rost.1903	MMAFC 6/1892, 309
239	292	52				BM 37647	Rost.1900	MMAFC 6/1892, 298
240	295	22 + 10'	88	168		VAT 1650		
241	330	21			65	BM 29848		
242	226	21	157	130		VAT 1610		
243	331	23	200			C 4779		
244	261	10			75	BM 29858		
245	262	11	127			C 4786		
246	211	25	140	121		VAT 1648		

W	EA	Lignes (ou: col.)	WA	VS	BB	Nr. Mus.	Anc. Nr.	Références bibliographiques:
247	212	14	141	122		VAT 1587		
248	213	15			76	BM 29859		
248A	365	31				AO 7098		RA 19/1922, 108
249	187	25			77	BM 29860		
250	205	18			78	BM 29861		
251	204	20	133	117		VAT 328		
252	203	19	134	116		VAT 330		
253	202	19	135	115		VAT 331		
254	221	16	136	127		VAT 341		
255	239	27	139	137		VAT 334		
256	255	25	144	146		VAT 333		
256A	364	28				AO 7094		RA 19/1922, 104
257	319	23	145	178		VAT 1722		
258	178	26	146	100		VAT 1677		
259	337	30	147	187		VAT 1679		
260	241	20	148	139		VAT 1678		
261	209	16	149A			AO 2036		RA 19/1922, 101
262	220	31	150			C 4785		
263	206	17	151			C 4762		
264	193	24	161	110		VAT 1608		
265	265	15	165	151		VAT 1697		
266	275	14	166	156		VAT 1682		
267	177	10	170	101		VAT 1684		

W	EA	Lignes (ou: col.)	WA	VS	BB	Nr. Mus.	Anc. Nr.	Références bibliographiques:
268	238	38	219	136		VAT 1867		
269	308	8 + 9'	172	173		VAT 1602		
270	65	13	175	29		VAT 1685		
271	229	7	178	131		VAT 1689		
272	223	10	220	129		VAT 1870		
273	207	21	194	118		VAT 1593		
274	276	15	187	157		VAT 1706		
275	293	22	201			C 4774		
276	99	26	202			C 4742		
277	231	19	212	132		VAT 1599		
278	259	8	213	149		VAT 1582		
279	307	12	215	170		VAT 1586		
280	313	21	197			C 4782		
281	69	39			73	BM 29856		
282	251	15 + 2			79	BM 29862		
283	272	25			80	BM 29863		
284	277	12			81	BM 29864		
285	171	37	185	95		VAT 1723		
286	47	30	176	19		VAT 1693		
287	45	48	177	17		VAT 1692		
288	46	29	179	18		VAT 1694		
289 +	49	29	180 +			C 4783	VAT 1691 +	
290A	366	34				AO 7096		RA 19/1922, 106

W	EA	Lignes (ou: col.)	WA	VS	BB	Nr. Mus.	Anc. Nr.	Références bibliographiques:
290 +	52	46	196 +			C 4759	C 4759 +	
291	200	16	164	113		VAT 1622		
292	48	9	181	20		VAT 1690		
293	50	12	191	21		VAT 1594		
294 +	14	4 col.	28 +	198 +		VAT 1651 +		
295 +	25	4 col.	25	201		VAT 340 +		
296	22	4 col.	26	199		VAT 395		
– – –								
354A	379	13		190		VAT YY2		MDOG 55/1914, 40
355A	368	17 + 11'				O 1154		JEA 11/1925, 233
359	359	35 + 29'		193		VAT YY1		MDOG 55/1914, Pl. 6-7
360	360	5		179		VAT 1709B		AOAT 8/1970, 12
361	361	6				VAT 3780		OLZ 20/1917, 106
P.408	167	34	32	91		VAT 326		
P.408-9	159	46	35	85		VAT 1658		
P.414	335	20		186		VAT 1616 +		
P.414	335	20		186		VAT 1708 +		
P.415	128	31	227	71		VAT 1873		
P.415	173	16	222	97		VAT 1875		
P.415	210	6	223	120		VAT 1876		
P.415	309	28	221	174		VAT 1874		
P.415 +	18	10 + 7'	230/226 +	8		VAT 1879 +		
P.415 +	58	10 + 11'	214	26		VAT 1716		

Section 3: **WA** n° **1-240**

WA   Winckler H. – Abel L., *Der Thontafelfund von El-Amarna*), in coll. „Mitteilungen aus den Orientalischen Sammlungen – Königliche Museen zu Berlin", Heft 1-3, (Berlin, 1889/90), 166 pp. (dont certaines doubles) et 3 Pl. [= 240 Nos].

WA	EA	Lignes (ou: col.)	W	VS	BB	Nr. Mus.	Anc. Nr.	Références bibliographiques:
1	3	34	2			C 4743		
2 +	2	13 + 9'	4 +	1		VAT 148 +		
3	4	50	3	2		VAT 1657		
4	6	22	6	3		VAT 149		
5 +	2	13 + 9'		1		VAT 2706 +	C 4745 +	
6 +	11	29 + 34'	9 +	6		VAT 151 +		
7 +	7	82	10 +	4		VAT 150 +		
8	8	47	11	5		VAT 152		
9	16	55	15			C 4746		
10	31	38				C 4741		Goetze, VBT Nr. 1
11	38	30	28	14		VAT 153		
12	39	20 + 1	29			C 4748		
13 +	40	28	32 +			C 4749	VAT 1652 +	
14 +	40	28	33 +			C 4749	C 4749 +	
15	33	32	30	13	·	VAT 1654		
16	42	28	34	15		VAT 1655		
17 +	5	33	5			C 4744 +		
18	41	43	35			C 4747		
19 +	36	24	31 +			C 4750	VAT 1653 +	
20 +	36	24				C 4750	C 4750 +	
21	21	41	19	10		VAT 190		
22	20	84	18	9		VAT 191		
23 +	27	114 + 1	23 +	11		VAT 233 +		

WA	EA	Lignes (ou: col.)	W	VS	BB	Nr. Mus.	Anc. Nr.	Références bibliographiques:
24 +	29	189	21 +	12		VAT 271 +		
25	25	4 col.	295 +	201		VAT 340 +		
26	22	4 col.	296	199		VAT 395		
27 +	24	4 col.		200		VAT 422 +		MVAG 14/1909,1/2, 84-123
28 +	14	4 col.	294 +	198 +		VAT 1651 +		
29	44	28	36	16		VAT 1656		
30	51	11 + 17'	37	22		VAT 559		
31	166	32	46	90		VAT 250		
32	167	34	P.408	91		VAT 326		
33	165	45	47	89		VAT 325		
34	156	14	42	83		VAT 337		
34A	160	44	48			Golenis. 3		
35	159	46	P.408-9	85		VAT 1658		
36	157	41	49	84		VAT 624		
37	168	12 + 16'	43	92		VAT 1659		
38	164	44	45	88		VAT 249		
39	169	47	52	93		VAT 1660		
40	158	38	44			C 4758		
41	107	48	80	55		VAT 346		
42	108	69	83	56		VAT 345		
43	106	49	85	54		VAT 344		
44	119	59	72	64		VAT 349		
45	117	94	75	62		VAT 350		

WA	EA	Lignes (ou: col.)	W	VS	BB	Nr. Mus.	Anc. Nr.	Références bibliographiques:
46	130	52	99	72		VAT 1624		
47	122	55	100	67		VAT 1625		
48	85	87	69	42		VAT 1626		
49	89	67	70	43		VAT 1627		
50	92	57	58	46		VAT 868		
51	105	89	84	53		VAT 1628		
52	109	69	101	57		VAT 1629		
53	90	64	93	44		VAT 1661		
54 +	118	56	92 +	63 +		VAT 1662 +		
55	93	28	68	47		VAT 1663		
56	91	49	102	45		VAT 931		
57	112	59	74	61		VAT 1664		
58	138	138	91	73		VAT 351		
59	121	63	73	66		VAT 1665		
60	104	54	86			C 4751		
61	116	80	87			C 4752		
62 +	124	67	103 +			C 4755	C 4755 +	
63	113	49	106			C 4753		
64AEBC	110	58	107 +	58		VAT 1666		
64D +	124	67	107 +			C 4755	VAT 1666 +	
65 +	124	67	108 +			C 4755	C 4755 +	
66	133	19	109	74		VAT 1667		
67	70	31	112			Golenis.1		

WA	EA	Lignes (ou: col.)	W	VS	BB	Nr. Mus.	Anc. Nr.	Références bibliographiques:
68	111	28	113	59		VAT 1631		
69	115	23	114	60		VAT 1630		
70	95	53	110	48		VAT 1668		
71	137	103	71			Golenis. 2		
72	71	35	54	33		VAT 1632		
73	84	44	53	41		VAT 1633		
74	76	46	56	35		VAT 324		
75	79	47	60	38		VAT 1634		
76	126	66	104	68		VAT 1183		
77	103	57	78	52		VAT 1208		
78	94	78	115			C 4756		
79	75	50	79			C 4757		
80	68	32	88	32		VAT 1239		
81 +	77	37	111 +	36		VAT 1635 +		
82	96	33	89	49		VAT 1238		
83	134	41	95			C 4754		
84	78	41	62	37		VAT 1282		
85	120	45	116	65		VAT 1636		
86 +	129	98	63 +	70		VAT 1637 +		
87 +	129	98	105 +	70		VAT 1638 +		
88	295	22 + 10'	240	168		VAT 1650		
89	81	59	64	40		VAT 1318		
90	144	34	147	76		VAT 323		

WA	EA	Lignes (ou: col.)	W	VS	BB	Nr. Mus.	Anc. Nr.	Références bibliographiques:
91	140	33	119	75		VAT 1639		
92	162	81	50	86		VAT 347		
93	232	20	157	133		VAT 1640		
94	233	20	158			C 4767		
95	234	35	159	134		VAT 1641		
96	195	32	144			C 4761		
97	60	32	38	27		VAT 343		
98	150	37	153			C 4766		
99	148	47	154			C 4765		
100	280	40	165			C 4772		
101	283	33	166	160		VAT 339		
102	286	64	179	162		VAT 1642		
103	287	78	180	163		VAT 1644		
104	288	66	181	164		VAT 1643		
105 +	289	51	182 +	165		VAT 1645 +		
106	290	30	183	166		VAT 1646		
107	279	23	167	158		VAT 1647		
108	268	20	168	153		VAT 1532		
109	267	20	169			C 4771		
110	271	27	170	154		VAT 1531		
111	246	9 + 11'	192	142		VAT 1649		
112	254	64 + 1	163	145		VAT 335		
113	243	22	193	141		VAT 1669		

WA	EA	Lignes (ou: col.)	W	VS	BB	Nr. Mus.	Anc. Nr.	Références bibliographiques:
114	242	17	194	140		VAT 1670		
115	244	43	195			C 4768		
116	305	24	227			C 4780		
117	301	23	228			C 4781		
118	322	24	210			C 4776		
119	321	26	211	182		VAT 1671		
120	302	18	229	172		VAT 332		
121	320	25	212			C 4777		
122	326	23	213	183		VAT 1672		
123	329	20	217	181		VAT 1673		
124	328	26	218			C 4775		
125	191	21	175			C 4760		
126	192	17	176	109		VAT 1674		
127	262	11	245			C 4786		
128	98	26	123	51		VAT 1675		
129	317	25	215	177		VAT 1676		
130	182	15	232	104		VAT 1615		
131	225	13	220			C 4787		
132	201	24	161	114		VAT 338		
133	204	20	251	117		VAT 328		
134	203	19	252	116		VAT 330		
135	202	19	253	115		VAT 331		
136	221	16	254	127		VAT 341		

WA	EA	Lignes (ou: col.)	W	VS	BB	Nr. Mus.	Anc. Nr.	Références bibliographiques:
137	273	26	173	155		VAT 1686		
138	274	18	174			C 4773		
139	239	27	255	137		VAT 334		
140	211	25	246	121		VAT 1648		
141	212	14	247	122		VAT 1587		
142	189	20 + 27'	146	108		VAT 336		
143	170	44	125	94		VAT 327		
144	255	25	256	146		VAT 333		
145	319	23	257	178		VAT 1722		
146	178	26	258	100		VAT 1677		
147	337	30	259	187		VAT 1679		
148	241	20	260	139		VAT 1678		
149	249	30	186	143		VAT 1603		
149A	209	16	261			AO 2036		RA 19/1922, 101
150	220	31	262			C 4785		
151	206	17	263			C 4762		
152	198	31	141			C 4763		
153	314	22	234			C 4778		
154	250	60	164			C 4769		
155	253	35	177	144		VAT 1589		
156	266	33	190	152		VAT 1590		
157	226	21	242	130		VAT 1610		
158	62	55	126	28		VAT 1680		

WA	EA	Lignes (ou: col.)	W	VS	BB	Nr. Mus.	Anc. Nr.	Références bibliographiques:
159 +	196	43	143	111		VAT 1592 +		
160	174	26	131	98		VAT 1585		
161	193	24	264	110		VAT 1608		
162	154	29	156	81		VAT 1718		
163	175	20	132	99		VAT 1588		
164	200	16	291	113		VAT 1622		
165	265	15	265	151		VAT 1697		
166	275	14	266	156		VAT 1682		
167	258	9	187	148		VAT 329		
168	257	22	188	147		VAT 1715		
169	263	34	191	150		VAT 1688		
170	177	10	267	101		VAT 1684		
171	179	29	127	103		VAT 1703		
172	308	8 + 9'	269	173		VAT 1602		
173	56	51	136	24		VAT 1714		
174	285	31	184	161		VAT 1601		
175	65	13	270	29		VAT 1685		
176	47	30	286	19		VAT 1693		
177	45	48	287	17		VAT 1692		
178	229	7	271	131		VAT 1689		
179	46	29	288	18		VAT 1694		
180 +	49	29	289 +			C 4783	VAT 1691 +	
181	48	9	292	20		VAT 1690		

WA	EA	Lignes (ou: col.)	W	VS	BB	Nr. Mus.	Anc. Nr.	Références bibliographiques:
182	145	37	148	77		VAT 1695		
183	97	21	223	50		VAT 1598		
184	127	46	137	69		VAT 1687		
185	171	37	285	95		VAT 1723		
186	67	21 + 12'	121	31		VAT 1591		
187	276	15	274	157		VAT 1706		
188	12	26	13	7		VAT 1605		
189	185	76	134	106		VAT 1725		
190	281	31	201	159		VAT 1681		
191	50	12	293	21		VAT 1594		
192	183	9	233	105		VAT 1595		
193	186	85	135	107		VAT 1724		
194	207	21	273	118		VAT 1593		
195	216	20	231			C 4784		
196 +	52	46	290 +			C 4759	C 4759 +	
197	313	21	280			C 4782		
198	180	24	117			C 4788		
199 +	289	51	185 +	165		VAT 2709 +	C 4770 +	
200	331	23	243			C 4779		
201	293	22	275			C 4774		
202	99	26	276			C 4742		
203 +	143	41	130 +			C 4764 +		
204 +	49	29	222 +			C 4783	C 4783 +	

WA	EA	Lignes (ou: col.)	W	VS	BB	Nr. Mus.	Anc. Nr.	Références bibliographiques:
205	199	21	145			C 4789		
206	327	11				C 4791		
207	247	21				C 4792		
209 +	14	4 col.		198 +		VAT 2711 +	C 4794 +	
210,1 +	29	189		12		VAT 1600 +		
210,2 +	29	189		12		VAT 1618 +		
210,3 +	29	189		12		VAT 1619 +		
210,4 +	29	189		12		VAT 1620 +		
210,5 +	24	4 col.		200		VAT, 1621 +		MVAG 14/1909,1/2, 84-123
211 +	143	41	129A +	78		VAT 1584 +		
212	231	19	277	132		VAT 1599		
213	259	8	278	149		VAT 1582		
214	58	10 + 11'	118 +	26		VAT 1716		
214	58	10 + 11'	P.415 +	26		VAT 1716		
215	307	12	279	170		VAT 1586		
216	13	33 + 29'		197		VAT 1717		
217 +	18	10 + 7'		8		VAT 1880 +		
218/225 +	11	29 + 34'	12 +	6		VAT 1878 +		
219	238	38	268	136		VAT 1867		
220	223	10	272	129		VAT 1870		
221	309	28	P.415	174		VAT 1874		
222	173	16	P.415	97		VAT 1875		
223	210	6	P.415	120		VAT 1876		
224	172	5		96		VAT 1877		
227	128	31	P.415	71		VAT 1873		
228 +	155	71	152	82 +		VAT 1872 +		

WA	EA	Lignes (ou: col.)	W	VS	BB	Nr. Mus.	Anc. Nr.	Références bibliographiques:
230/226 +	18	10 + 7'	P.415 +	8		VAT 1879 +		
231	146	38	155	79 +		VAT 1871		
232/229 +	54	57	140	23		VAT 1868 +		
233/229 +	54	57	140	23		VAT 1869 +		
234 +	357	88		195 +		VAT 1611 +		
235 +	358	37		196		VAT 1612 +		
236 +	357	88		195 +		VAT 1614 +		
237 +	357	88		195 +		VAT 1613 +		
238	32	25		202		VAT 342		Goetze, VBT Nr. 2
239A,BA +	357	88		195 +		VAT 2710 +	C 4795 +	
239BB +	358	37		196		VAT 2708 +	C 4796 +	
240	356	71		194		VAT 348		

Section 4: **VS** n° **1-202**

VS   SCHROEDER O., *Die Tontafeln von El-Amarna*, in coll. „Vorderasiatische Schriftdenkmäler der königlichen Museeen zu
Berlin" [= VS (ou: *VAS*)], Heft XI-XII, (Leipzig, 1915):
1ère Partie: ii + 184 pp.; – 2ème Partie: iii + 95 pp. [= 202 Nᵒˢ].

VS	EA	Lignes (ou: col.)	W	WA	BB	Nr. Mus.	Anc. Nr.	Références bibliographiques:
1	2	13 + 9'	4 +	2 +		VAT 148 +		
1	2	13 + 9'		5 +		VAT 2706 +	C 4745 +	
2	4	50	3	3		VAT 1657		
3	6	22	6	4		VAT 149		
4	7	82	10 +	7 +		VAT 150 +		
4	7	82				VAT YY4 +		
5	8	47	11	8		VAT 152		
6	11	29 + 34'	12 +	218/225 +		VAT 1878 +		
6	11	29 + 34'	9 +	6 +		VAT 151 +		
7	12	26	13	188		VAT 1605		
8	18	10 + 7'		217 +		VAT 1880 +		
8	18	10 + 7'	P.415 +	230/226 +		VAT 1879 +		
9	20	84	18	22		VAT 191		
10	21	41	19	21		VAT 190		
11	27	114 + 1	23 +	23 +		VAT 233 +		
11	27	114 + 1				VAT 2193 +		
11	27	114 + 1				VAT 2197,1 +		
12	29	189	21 +	24 +		VAT 271 +		
12	29	189		210,1 +		VAT 1600 +		
12	29	189		210,2 +		VAT 1618 +		
12	29	189		210,3 +		VAT 1619 +		
12	29	189		210,4 +		VAT 1620 +		
12	29	189				VAT 2192 +		
12	29	189				VAT 2194 +		
12	29	189				VAT 2195 +		VAB 2/1, 1915, 994
12	29	189				VAT 2196,3 +		
12	29	189				VAT 2196,4 +		
12	29	189				VAT 2196,5 +		
12	29	189				VAT 2196,6 +		
12	29	189				VAT 2197,3 +		
12	29	189				VAT 2197,4 +		
12	29	189				VAT 2197,5 +		
12	29	189				VAT YY3 +		
13	33	32	30	15		VAT 1654		

VS	EA	Lignes (ou: col.)	W	WA	BB	Nr. Mus.	Anc. Nr.	Références bibliographiques:
14	38	30	28	11		VAT 153		
15	42	28	34	16		VAT 1655		
16	44	28	36	29		VAT 1656		
17	45	48	287	177		VAT 1692		
18	46	29	288	179		VAT 1694		
19	47	30	286	176		VAT 1693		
20	48	9	292	181		VAT 1690		
21	50	12	293	191		VAT 1594		
22	51	11 + 17'	37	30		VAT 559		
23	54	57	140	232/229 +		VAT 1868 +		
23	54	57	140	233/229 +		VAT 1869 +		
23	54	57	140			VAT 1721 +		
24	56	51	136	173		VAT 1714		
25	57	13 + 7'				VAT 1738		
26	58	10 + 11'	118 +	214		VAT 1716		
26	58	10 + 11'	P.415 +	214		VAT 1716		
27	60	32	38	97		VAT 343		
28	62	55	126	158		VAT 1680		
29	65	13	270	175		VAT 1685		
30	66	13				VAT 1702		
31	67	21 + 12'	121	186		VAT 1591		
32	68	32	88	80		VAT 1239		
33	71	35	54	72		VAT 1632		
34	72	32				VAT 1712		
35	76	46	56	74		VAT 324		

VS	EA	Lignes (ou: col.)	W	WA	BB	Nr. Mus.	Anc. Nr.	Références bibliographiques:
36	77	37	111 +	81 +		VAT 1635 +		
36	77	37				VAT 1700 +		
37	78	41	62	84		VAT 1282		
38	79	47	60	75		VAT 1634		
39	80	34				VAT 1711		
40	81	59	64	89		VAT 1318		
41	84	44	53	73		VAT 1633		
42	85	87	69	48		VAT 1626		
43	89	67	70	49		VAT 1627		
44	90	64	93	53		VAT 1661		
45	91	49	102	56		VAT 931		
46	92	57	58	50		VAT 868		
47	93	28	68	55		VAT 1663		
48	95	53	110	70		VAT 1668		
49	96	33	89	82		VAT 1238		
50	97	21	223	183		VAT 1598		
51	98	26	123	128		VAT 1675		
52	103	57	78	77		VAT 1208		
53	105	89	84	51		VAT 1628		
54	106	49	85	43		VAT 344		
55	107	48	80	41		VAT 346		
56	108	69	83	42		VAT 345		
57	109	69	101	52		VAT 1629		
58	110	58	107 +	64AEBC		VAT 1666		

VS	EA	Lignes (ou: col.)	W	WA	BB	Nr. Mus.	Anc. Nr.	Références bibliographiques:
59	111	28	113	68		VAT 1631		
60	115	23	114	69		VAT 1630		
61	112	59	74	57		VAT 1664		
62	117	94	75	45		VAT 350		
63 +	118	56	92 +	54 +		VAT 1662 +		
64	119	59	72	44		VAT 349		
65	120	45	116	85		VAT 1636		
66	121	63	73	59		VAT 1665		
67	122	55	100	47		VAT 1625		
68	126	66	104	76		VAT 1183		
69	127	46	137	184		VAT 1687		
70	129	98	105 +	87 +		VAT 1638 +		
70	129	98	63 +	86 +		VAT 1637 +		
71	128	31	P.415	227		VAT 1873		
72	130	52	99	46		VAT 1624		
73	138	138	91	58		VAT 351		
74	133	19	109	66		VAT 1667		
75	140	33	119	91		VAT 1639		
76	144	34	147	90		VAT 323		
77	145	37	148	182		VAT 1695		
78	143	41	129A +	211 +		VAT 1584 +		
79 +	146	38	155	231		VAT 1871		
80	152	66				VAT 1719		
81	154	29	156	162		VAT 1718		

VS	EA	Lignes (ou: col.)	W	WA	BB	Nr. Mus.	Anc. Nr.	Références bibliographiques:
82 +	155	71	152	228 +		VAT 1872 +		
83	156	14	42	34		VAT 337		
84	157	41	49	36		VAT 624		
85	159	46	P.408-9	35		VAT 1658		
86	162	81	50	92		VAT 347		
87	163	5 + 5'				VAT 1885		
88	164	44	45	38		VAT 249		
89	165	45	47	33		VAT 325		
90	166	32	46	31		VAT 250		
91	167	34	P.408	32		VAT 326		
92	168	12 + 16'	43	37		VAT 1659		
93	169	47	52	39		VAT 1660		
94	170	44	125	143		VAT 327		
95	171	37	285	185		VAT 1723		
96	172	5		224		VAT 1877		
97	173	16	P.415	222		VAT 1875		
98	174	26	131	160		VAT 1585		
99	175	20	132	163		VAT 1588		
100	178	26	258	146		VAT 1677		
101	177	10	267	170		VAT 1684		
102	181	26				VAT 1623		
103	179	29	127	171		VAT 1703		
104	182	15	232	130		VAT 1615		

VS	EA	Lignes (ou: col.)	W	WA	BB	Nr. Mus.	Anc. Nr.	Références bibliographiques:
105	183	9	233	192		VAT 1595		
106	185	76	134	189		VAT 1725		
107	186	85	135	193		VAT 1724		
108	189	20 + 27'	146	142		VAT 336		
109	192	17	176	126		VAT 1674		
110	193	24	264	161		VAT 1608		
111	196	43	143	159 +		VAT 1592 +		
111	196	43	143			VAT 1710 +		
112	194	32				VAT 1705		
113	200	16	291	164		VAT 1622		
114	201	24	161	132		VAT 338		
115	202	19	253	135		VAT 331		
116	203	19	252	134		VAT 330		
117	204	20	251	133		VAT 328		
118	207	21	273	194		VAT 1593		
119	208	14				VAT 1699		
120	210	6	P.415	223		VAT 1876		
121	211	25	246	140		VAT 1648		
122	212	14	247	141		VAT 1587		
123	214	33				VAT 1607		
124	217	23				VAT 1604		
125	218	17				VAT 1696		
126	219	34				VAT 1720		
127	221	16	254	136		VAT 341		

VS	EA	Lignes (ou: col.)	W	WA	BB	Nr. Mus.	Anc. Nr.	Références bibliographiques:
128	222	11				VAT 1683		
129	223	10	272	220		VAT 1870		
130	226	21	242	157		VAT 1610		
131	229	7	271	178		VAT 1689		
132	231	19	277	212		VAT 1599		
133	232	20	157	93		VAT 1640		
134	234	35	159	95		VAT 1641		
135	237	24				VAT 1701		
136	238	38	268	219		VAT 1867		
137	239	27	255	139		VAT 334		
138	240	8				VAT 2198 +		
138	240	8				VAT 2707 +	C 4790 +	
139	241	20	260	148		VAT 1678		
140	242	17	194	114		VAT 1670		
141	243	22	193	113		VAT 1669		
142	246	9 + 11'	192	111		VAT 1649		
143	249	30	186	149		VAT 1603		
144	253	35	177	155		VAT 1589		
145	254	64 + 1	163	112		VAT 335		
146	255	25	256	144		VAT 333		
147	257	22	188	168		VAT 1715		
148	258	9	187	167		VAT 329		
149	259	8	278	213		VAT 1582		
150	263	34	191	169		VAT 1688		

VS	EA	Lignes (ou: col.)	W	WA	BB	Nr. Mus.	Anc. Nr.	Références bibliographiques:
151	265	15	265	165		VAT 1697		
152	266	33	190	156		VAT 1590		
153	268	20	168	108		VAT 1532		
154	271	27	170	110		VAT 1531		
155	273	26	173	137		VAT 1686		
156	275	14	266	166		VAT 1682		
157	276	15	274	187		VAT 1706		
158	279	23	167	107		VAT 1647		
159	281	31	201	190		VAT 1681		
160	283	33	166	101		VAT 339		
161	285	31	184	174		VAT 1601		
162	286	64	179	102		VAT 1642		
163	287	78	180	103		VAT 1644		
164	288	66	181	104		VAT 1643		
165	289	51	182 +	105 +		VAT 1645 +		
165	289	51	185 +	199 +		VAT 2709 +	C 4770 +	
166	290	30	183	106		VAT 1646		
167	291	25				VAT 1713		
168	295	22 + 10'	240	88		VAT 1650		
169	310	17				VAT 1698		
170	307	12	279	215		VAT 1586		
171	300	28				VAT 1606		
172	302	18	229	120		VAT 332		
173	308	8 + 9'	269	172		VAT 1602		

VS	EA	Lignes (ou: col.)	W	WA	BB	Nr. Mus.	Anc. Nr.	Références bibliographiques:
174	309	28	P.415	221		VAT 1874		
175	311	19				VAT 1597		
176	312	20				VAT 1709A +		
176	312	20				VAT 1886 +		
177	317	25	215	129		VAT 1676		
178	319	23	257	145		VAT 1722		
179	360	5	360			VAT 1709B		AOAT 8/1970, 12
180	339	7				VAT 1887		
181	329	20	217	123		VAT 1673		
182	321	26	211	119		VAT 1671		
183	326	23	213	122		VAT 1672		
184	332	6				VAT 1883		
185	334	11				VAT 1609		
186	335	20	P.414			VAT 1616 +		
186	335	20	P.414			VAT 1708 +		
187	337	30	259	147		VAT 1679		
188	336	9				VAT 1707		
189	338	14				VAT 1884		
190	379	13	354A			VAT YY2		MDOG 55/1914, 40
191	340	8				VAT 1583		
192	341	11				VAT 1704		
193	359	35 + 29'	359			VAT YY1		MDOG 55/1914, Pl. 6-7
194	356	71		240		VAT 348		
195 +	357	88		234 +		VAT 1611 +		
195 +	357	88		236 +		VAT 1614 +		

VS	EA	Lignes (ou: col.)	W	WA	BB	Nr. Mus.	Anc. Nr.	Références bibliographiques:
195 +	357	88		237 +		VAT 1613 +		
195 +	357	88		239A,BA +		VAT 2710 +	C 4795 +	
196	358	37		235 +		VAT 1612 +		
196	358	37		239BB +		VAT 2708 +	C 4796 +	
196	358	37				VAT 1617 +		
197	13	33 + 29'		216		VAT 1717		
198 +	14	4 col.		209 +		VAT 2711 +	C 4794 +	
198 +	14	4 col.	294 +	28 +		VAT 1651 +		
199	22	4 col.	296	26		VAT 395		
200	24	4 col.				VAT 2196,8 +		MVAG 14/1909,1/2, 84-123
200	24	4 col.		210,5 +		VAT, 1621 +		MVAG 14/1909,1/2, 84-123
200	24	4 col.		27 +		VAT 422 +		MVAG 14/1909,1/2, 84-123
200	24	4 col.				VAT 2196,1 +		MVAG 14/1909,1/2, 84-123
200	24	4 col.				VAT 2196,2 +		MVAG 14/1909,1/2, 84-123
200	24	4 col.				VAT 2196,7 +		MVAG 14/1909,1/2, 84-123
201	25	4 col.	295 +	25		VAT 340 +		
201	25	4 col.				VAT 2191 +		
201	25	4 col.				VAT 2197,2 +		
202	32	25		238		VAT 342		Goetze, VBT Nr. 2

Section 5: **BB** n° **1-82**

BB   Bezold C. – Budge E.A.W., *The Tell El-Amarna Tablets in the British Museum, with autotype Facsimiles*, (London, 1892), xciv + 157 pp., et 24 Pl. [= 82 N[os]].

BB	EA	Lignes (ou: col.)	W	WA	VS	Nr. Mus.	Anc. Nr.	Références bibliographiques:
1	1	98	1			BM 29784		
2	9	38	7			BM 29785		
3	10	49	8			BM 29786		
4 +	5	33	5			BM 29787 +		
5	35	55	25			BM 29788		
6	34	53	27			BM 29789		
7	37	29	26			BM 29790		
8	19	85	17			BM 29791		
9	17	54	16			BM 29792		
10	23	32 + 3	20			BM 29793		
11 +	26	66 + 1	22			BM 29794 +		
12	74	65	55			BM 29795		
13	114	69	81			BM 29796		
14	83	57	61			BM 29797		
15	73	45	57			BM 29798		
16	136	46	96			BM 29799		
17	88	51	65			BM 29800		
18	132	59	94			BM 29801		
19	125	45	76			BM 29802		
20	123	43	77			BM 29803		
21	86	50	66 +			BM 29805		
21	86	50	90 +			BM 29805		
22	87	31	67			BM 29804		
23	102	38	82			BM 29806		

BB	EA	Lignes (ou: col.)	W	WA	VS	Nr. Mus.	Anc. Nr.	Références bibliographiques:
24	131	62	97			BM 29807		
25 +	118	56	98 +			BM 29808 +		
26	141	48	128			BM 29809		
27	142	33	129			BM 29810		
28	149	84	150			BM 29811		
29	147	71	149			BM 29812		
30	151	70	151			BM 29813		
31 +	155	71	152			BM 29814 +		
32	235	11	160			BM 29815		
33	64	23	39			BM 29816		
34	63	16	40			BM 29817		
35	161	56	51			BM 29818		
37	53	70	139			BM 29820		
38	303	21	224			BM 29821		
38	55	66	138			BM 29819		
39	304	23	225			BM 29822		
40	306	43	226			BM 29823		
41	59	46	41			BM 29824		
42	100	43	122			BM 29825		
43	197	43	142			BM 29826		
44	101	38	124			BM 29827		
45	139	40	120			BM 29828		
46	176	20	133			BM 29829		
47	227	28	202			BM 29830		

BB	EA	Lignes (ou: col.)	W	WA	VS	Nr. Mus.	Anc. Nr.	Références bibliographiques:
48	228	25	203			BM 29831		
49	299	26	204			BM 29832		
50	298	33	205			BM 29833		
51	297	21	206			BM 29834		
52	325	22	207			BM 29835		
53	323	23	208			BM 29836		
54	324	19	209			BM 29837		
55	316	25	235			BM 29838		
56	315	18	236			BM 29839		
57	296	39	214			BM 29840		
58	30	13	14			BM 29841		
59	248	22	197			BM 29842		
60	215	17	230			BM 29843		
61	252	31	162			BM 29844		
62	270	29	171			BM 29845		
63	269	17	172			BM 29846		
64	256	35	237			BM 29847		
65	330	21	241			BM 29848		
66	224	18	221			BM 29849		
67	284	35	198			BM 29850		
68	282	16	199			BM 29851		
69	278	15	200			BM 29852		
70	264	25	189			BM 29853		

BB	EA	Lignes (ou: col.)	W	WA	VS	Nr. Mus.	Anc. Nr.	Références bibliographiques:
71	294	35	178			BM 29854		
72	245	47	196			BM 29855		
73	69	39	281			BM 29856		
74	318	22	216			BM 29857		
75	261	10	244			BM 29858		
76	213	15	248			BM 29859		
77	187	25	249			BM 29860		
78	205	18	250			BM 29861		
79	251	15 + 2	282			BM 29862		
80	272	25	283			BM 29863		
81	277	12	284			BM 29864		
82 +	357	88				BM 29865 +		

Section 6:   **Numéros d'inventaire des Musées.**

Nr. Mus.	EA	Lignes (ou: col.)	W	WA	VS	BB	Anc. Nr.	Références bibliographiques:
AO 2036	209	16	261	149A				RA 19/1922, 101
AO 7093	362	69	129A					RA 19/1922, 102-103
AO 7094	364	28	256A					RA 19/1922, 104
AO 7095	367	25	222A					RA 19/1922, 105
AO 7096	366	34	290A					RA 19/1922, 106
AO 7097	363	23	176A					RA 19/1922, 107
AO 7098	365	31	248A					RA 19/1922, 108
B 50745	378	26						PEQ 100/1965, Pl. 25
BM 29784	1	98	1			1		
BM 29785	9	38	7			2		
BM 29786	10	49	8			3		
BM 29787 +	5	33	5			4 +		
BM 29788	35	55	25			5		
BM 29789	34	53	27			6		
BM 29790	37	29	26			7		
BM 29791	19	85	17			8		
BM 29792	17	54	16			9		
BM 29793	23	32 + 3	20			10		
BM 29794 +	26	66 + 1	22			11 +		
BM 29795	74	65	55			12		
BM 29796	114	69	81			13		
BM 29797	83	57	61			14		
BM 29798	73	45	57			15		

Nr. Mus.	EA	Lignes (ou: col.)	W	WA	VS	BB	Anc. Nr.	Références bibliographiques:
BM 29799	136	46	96			16		
BM 29800	88	51	65			17		
BM 29801	132	59	94			18		
BM 29802	125	45	76			19		
BM 29803	123	43	77			20		
BM 29804	87	31	67			22		
BM 29805	86	50	66 +			21		
BM 29805	86	50	90 +			21		
BM 29806	102	38	82			23		
BM 29807	131	62	97			24		
BM 29808 +	118	56	98 +			25 +		
BM 29809	141	48	128			26		
BM 29810	142	33	129			27		
BM 29811	149	84	150			28		
BM 29812	147	71	149			29		
BM 29813	151	70	151			30		
BM 29814 +	155	71	152			31 +		
BM 29815	235	11	160			32		
BM 29816	64	23	39			33		
BM 29817	63	16	40			34		
BM 29818	161	56	51			35		
BM 29819	55	66	138			38		
BM 29820	53	70	139			37		

Nr. Mus.	EA	Lignes (ou: col.)	W	WA	VS	BB	Anc. Nr.	Références bibliographiques:
BM 29821	303	21	224			38		
BM 29822	304	23	225			39		
BM 29823	306	43	226			40		
BM 29824	59	46	41			41		
BM 29825	100	43	122			42		
BM 29826	197	43	142			43		
BM 29827	101	38	124			44		
BM 29828	139	40	120			45		
BM 29829	176	20	133			46		
BM 29830	227	28	202			47		
BM 29831	228	25	203			48		
BM 29832	299	26	204			49		
BM 29833	298	33	205			50		
BM 29834	297	21	206			51		
BM 29835	325	22	207			52		
BM 29836	323	23	208			53		
BM 29837	324	19	209			54		
BM 29838	316	25	235			55		
BM 29839	315	18	236			56		
BM 29840	296	39	214			57		
BM 29841	30	13	14			58		
BM 29842	248	22	197			59		
BM 29843	215	17	230			60		

Nr. Mus.	EA	Lignes (ou: col.)	W	WA	VS	BB	Anc. Nr.	Références bibliographiques:
BM 29844	252	31	162			61		
BM 29845	270	29	171			62		
BM 29846	269	17	172			63		
BM 29847	256	35	237			64		
BM 29848	330	21	241			65		
BM 29849	224	18	221			66		
BM 29850	284	35	198			67		
BM 29851	282	16	199			68		
BM 29852	278	15	200			69		
BM 29853	264	25	189			70		
BM 29854	294	35	178			71		
BM 29855	245	47	196			72		
BM 29856	69	39	281			73		
BM 29857	318	22	216			74		
BM 29858	261	10	244			75		
BM 29859	213	15	248			76		
BM 29860	187	25	249			77		
BM 29861	205	18	250			78		
BM 29862	251	15 + 2	282			79		
BM 29863	272	25	283			80		
BM 29864	277	12	284			81		
BM 29865 +	357	88				82 +		
BM 37645	28	49	24				Rost.1901	MMAFC 6/1892, 302

Nr. Mus.	EA	Lignes (ou: col.)	W	WA	VS	BB	Anc. Nr.	Références bibliographiques:
BM 37646	230	22	238				Rost.1903	MMAFC 6/1892, 309
BM 37647	292	52	239				Rost.1900	MMAFC 6/1892, 298
BM 37648	82	52	59				Rost.1902	MMAFC 6/1892, 306
BM 58364	380							Walker, JCS 31/1979, 249
BM 134863	374	34					EES 1	Or. (NS) 16/1947, 19-20
BM 134864	373	18					EES 2	Or. (NS) 16/1947, 18
BM 134865	376	8 + 2'					EES 3	Or. (NS) 16/1947, 21
BM 134866	375	2'					EES 4	Or. (NS) 16/1947, 20-21
BM 134867	XX3						EES 5	Pendlebury, 3/1, 120(127E)
BM 134868	371	39					EES 6	Or. (NS) 16/1947, 16-17
BM 134869	XX4						EES 7	Pendlebury, 381, 120(127D)
BM 134870	370	29					EES 8	Or. (NS) 16/1947, 15
BM 134871	377	3					EES 10	Or. (NS) 16/1947, 21
BM 134872	372	6					EES 9	Or. (NS) 16/1947, 17
C 4741	31	38		10				Goetze, VBT Nr. 1
C 4742	99	26	276	202				
C 4743	3	34	2	1				
C 4744 +	5	33	5	17 +				
C 4746	16	55	15	9				
C 4747	41	43	35	18				
C 4748	39	20 + 1	29	12				
C 4749	40	28	32 +	13 +			VAT 1652 +	
C 4749	40	28	33 +	14 +			C 4749 +	

Nr. Mus.	EA	Lignes (ou: col.)	W	WA	VS	BB	Anc. Nr.	Références bibliographiques:
C 4750	36	24		20 +			C 4750 +	
C 4750	36	24	31 +	19 +			VAT 1653 +	
C 4751	104	54	86	60				
C 4752	116	80	87	61				
C 4753	113	49	106	63				
C 4754	134	41	95	83				
C 4755	124	67	103 +	62 +			C 4755 +	
C 4755	124	67	107 +	64D +			VAT 1666 +	
C 4755	124	67	108 +	65 +			C 4755 +	
C 4756	94	78	115	78				
C 4757	75	50	79	79				
C 4758	158	38	44	40				
C 4759	52	46					VAT 1596 +	
C 4759	52	46	290 +	196 +			C 4759 +	
C 4760	191	21	175	125				
C 4761	195	32	144	96				
C 4762	206	17	263	151				
C 4763	198	31	141	152				
C 4764 +	143	41	130 +	203 +				
C 4765	148	47	154	99				
C 4766	150	37	153	98				
C 4767	233	20	158	94				
C 4768	244	43	195	115				

Nr. Mus.	EA	Lignes (ou: col.)	W	WA	VS	BB	Anc. Nr.	Références bibliographiques:
C 4769	250	60	164	154				
C 4771	267	20	169	109				
C 4772	280	40	165	100				
C 4773	274	18	174	138				
C 4774	293	22	275	201				
C 4775	328	26	218	124				
C 4776	322	24	210	118				
C 4777	320	25	212	121				
C 4778	314	22	234	153				
C 4779	331	23	243	200				
C 4780	305	24	227	116				
C 4781	301	23	228	117				
C 4782	313	21	280	197				
C 4783	49	29	222 +	204 +			C 4783 +	
C 4783	49	29	289 +	180 +			VAT 1691 +	
C 4784	216	20	231	195				
C 4785	220	31	262	150				
C 4786	262	11	245	127				
C 4787	225	13	220	131				
C 4788	180	24	117	198				
C 4789	199	21	145	205				
C 4791	327	11					VAT 1882 +	
C 4791	327	11		206				

Nr. Mus.	EA	Lignes (ou: col.)	W	WA	VS	BB	Anc. Nr.	Références bibliographiques:
C 4792	247	21		207				
C 4793	188	8	208					
E 6753	369	32	31A					RA 31/1934, 127
F 11	333	26	219					RT 15/1893, 137
Golenis. 2	137	103	71	71				
Golenis. 3	160	44	48	34A				
Golenis.1	70	31	112	67				
HM 118 +	26	66 + 1	22				Murch +	AJSL 33/1916, 7-8
MMA 24211	15	22					Chassin.1	BIFAO 2/1902, 114
MMA 24212	153	20					Chassin.2	BIFAO 2/1902, 116
O 1	43	35						Sayce/Petrie Nr. 1
O 2	184	8						Sayce/Petrie Nr. 18 bis
O 3	135	25						Sayce/Petrie Nr. 2
O 4	61	5 + 9'						Sayce/Petrie Nr. 3
O 5	190	12						Sayce/Petrie Nr. 4
O 6	236	7						Sayce/Petrie Nr. 16
O 7 +	14	4 col.						Sayce/Petrie Nr. 8
O 8	342	9						Sayce/Petrie Nr. 7
O 9	351	14 + 6'						Sayce/Petrie Nr. 5
O 10	352	8						Sayce/Petrie Nr. 6
O 11	354	10 + 9'						Sayce/Petrie Nr. 11
O 12	346	12						Sayce/Petrie Nr. 13
O 13	353	7						Sayce/Petrie Nr. 14

Nr. Mus.	EA	Lignes (ou: col.)	W	WA	VS	BB	Anc. Nr.	Références bibliographiques:
O 14	348	7 + 12'						Sayce/Petrie Nr. 12
O 15	345	10						Sayce/Petrie Nr. 17
O 16	344	7						Sayce/Petrie Nr. 10
O 17	347	4						Sayce/Petrie Nr. 15
O 18	350	7 + 5'						Sayce/Petrie Nr. 18
O 1154	368	17 + 11'						JEA 11/1925, 233
O YY1	343	6						
O YY2	349	7						
O YY3	355	11 + 1						Sayce/Petrie Nr. 9
Oppert	260	16						CRAIBL 41/1888, 253
VAT 148 +	2	13 + 9'	4 +	2 +	1			
VAT 149	6	22	6	4	3			
VAT 150 +	7	82	10 +	7 +	4			
VAT 151 +	11	29 + 34'	9 +	6 +	6			
VAT 152	8	47	11	8	5			
VAT 153	38	30	28	11	14			
VAT 190	21	41	19	21	10			
VAT 191	20	84	18	22	9			
VAT 233 +	27	114 + 1	23 +	23 +	11			
VAT 249	164	44	45	38	88			
VAT 250	166	32	46	31	90			
VAT 271 +	29	189	21 +	24 +	12			
VAT 323	144	34	147	90	76			

Nr. Mus.	EA	Lignes (ou: col.)	W	WA	VS	BB	Anc. Nr.	Références bibliographiques:
VAT 324	76	46	56	74	35			
VAT 325	165	45	47	33	89			
VAT 326	167	34	P.408	32	91			
VAT 327	170	44	125	143	94			
VAT 328	204	20	251	133	117			
VAT 329	258	9	187	167	148			
VAT 330	203	19	252	134	116			
VAT 331	202	19	253	135	115			
VAT 332	302	18	229	120	172			
VAT 333	255	25	256	144	146			
VAT 334	239	27	255	139	137			
VAT 335	254	64 + 1	163	112	145			
VAT 336	189	20 + 27'	146	142	108			
VAT 337	156	14	42	34	83			
VAT 338	201	24	161	132	114			
VAT 339	283	33	166	101	160			
VAT 340 +	25	4 col.	295 +	25	201			
VAT 341	221	16	254	136	127			
VAT 342	32	25		238	202			Goetze, VBT Nr. 2
VAT 343	60	32	38	97	27			
VAT 344	106	49	85	43	54			
VAT 345	108	69	83	42	56			
VAT 346	107	48	80	41	55			

Nr. Mus.	EA	Lignes (ou: col.)	W	WA	VS	BB	Anc. Nr.	Références bibliographiques:
VAT 347	162	81	50	92	86			
VAT 348	356	71		240	194			
VAT 349	119	59	72	44	64			
VAT 350	117	94	75	45	62			
VAT 351	138	138	91	58	73			
VAT 395	22	4 col.	296	26	199			
VAT 422 +	24	4 col.		27 +	200			MVAG 14/1909,1/2, 84-123
VAT 559	51	11 + 17'	37	30	22			
VAT 624	157	41	49	36	84			
VAT 868	92	57	58	50	46			
VAT 931	91	49	102	56	45			
VAT 1183	126	66	104	76	68			
VAT 1208	103	57	78	77	52			
VAT 1238	96	33	89	82	49			
VAT 1239	68	32	88	80	32			
VAT 1282	78	41	62	84	37			
VAT 1318	81	59	64	89	40			
VAT 1531	271	27	170	110	154			
VAT 1532	268	20	168	108	153			
VAT 1582	259	8	278	213	149			
VAT 1583	340	8			191			
VAT 1584 +	143	41	129A +	211 +	78			
VAT 1585	174	26	131	160	98			

Nr. Mus.	EA	Lignes (ou: col.)	W	WA	VS	BB	Anc. Nr.	Références bibliographiques:
VAT 1586	307	12	279	215	170			
VAT 1587	212	14	247	141	122			
VAT 1588	175	20	132	163	99			
VAT 1589	253	35	177	155	144			
VAT 1590	266	33	190	156	152			
VAT 1591	67	21 + 12'	121	186	31			
VAT 1592 +	196	43	143	159 +	111			
VAT 1593	207	21	273	194	118			
VAT 1594	50	12	293	191	21			
VAT 1595	183	9	233	192	105			
VAT 1597	311	19			175			
VAT 1598	97	21	223	183	50			
VAT 1599	231	19	277	212	132			
VAT 1600 +	29	189		210,1 +	12			
VAT 1601	285	31	184	174	161			
VAT 1602	308	8 + 9'	269	172	173			
VAT 1603	249	30	186	149	143			
VAT 1604	217	23			124			
VAT 1605	12	26	13	188	7			
VAT 1606	300	28			171			
VAT 1607	214	33			123			
VAT 1608	193	24	264	161	110			
VAT 1609	334	11			185			

Nr. Mus.	EA	Lignes (ou: col.)	W	WA	VS	BB	Anc. Nr.	Références bibliographiques:
VAT 1610	226	21	242	157	130			
VAT 1611 +	357	88		234 +	195 +			
VAT 1612 +	358	37		235 +	196			
VAT 1613 +	357	88		237 +	195 +			
VAT 1614 +	357	88		236 +	195 +			
VAT 1615	182	15	232	130	104			
VAT 1616 +	335	20	P.414		186			
VAT 1617 +	358	37			196			
VAT 1618 +	29	189		210,2 +	12			
VAT 1619 +	29	189		210,3 +	12			
VAT 1620 +	29	189		210,4 +	12			
VAT 1621 +	24	4 col.		210,5 +	200			MVAG 14/1909,1/2, 84-123
VAT 1622	200	16	291	164	113			
VAT 1623	181	26			102			
VAT 1624	130	52	99	46	72			
VAT 1625	122	55	100	47	67			
VAT 1626	85	87	69	48	42			
VAT 1627	89	67	70	49	43			
VAT 1628	105	89	84	51	53			
VAT 1629	109	69	101	52	57			
VAT 1630	115	23	114	69	60			
VAT 1631	111	28	113	68	59			
VAT 1632	71	35	54	72	33			

Nr. Mus.	EA	Lignes (ou: col.)	W	WA	VS	BB	Anc. Nr.	Références bibliographiques:
VAT 1633	84	44	53	73	41			
VAT 1634	79	47	60	75	38			
VAT 1635 +	77	37	111 +	81 +	36			
VAT 1636	120	45	116	85	65			
VAT 1637 +	129	98	63 +	86 +	70			
VAT 1638 +	129	98	105 +	87 +	70			
VAT 1639	140 -	33	119	91	75			
VAT 1640	232	20	157	93	133			
VAT 1641	234	35	159	95	134			
VAT 1642	286	64	179	102	162			
VAT 1643	288	66	181	104	164			
VAT 1644	287	78	180	103	163			
VAT 1645 +	289	51	182 +	105 +	165			
VAT 1646	290	30	183	106	166			
VAT 1647	279	23	167	107	158			
VAT 1648	211	25	246	140	121			
VAT 1649	246	9 + 11'	192	111	142			
VAT 1650	295	22 + 10'	240	88	168			
VAT 1651 +	14	4 col.	294 +	28 +	198 +			
VAT 1654	33	32	30	15	13			
VAT 1655	42	28	34	16	15			
VAT 1656	44	28	36	29	16			
VAT 1657	4	50	3	3	2			

Nr. Mus.	EA	Lignes (ou: col.)	W	WA	VS	BB	Anc. Nr.	Références bibliographiques:
VAT 1658	159	46	P.408-9	35	85			
VAT 1659	168	12 + 16'	43	37	92			
VAT 1660	169	47	52	39	93			
VAT 1661	90	64	93	53	44			
VAT 1662 +	118	56	92 +	54 +	63 +			
VAT 1663	93	28	68	55	47			
VAT 1664	112	59	74	57	61			
VAT 1665	121	63	73	59	66			
VAT 1666	110	58	107 +	64AEBC	58			
VAT 1667	133	19	109	66	74			
VAT 1668	95	53	110	70	48			
VAT 1669	243	22	193	113	141			
VAT 1670	242	17	194	114	140			
VAT 1671	321	26	211	119	182			
VAT 1672	326	23	213	122	183			
VAT 1673	329	20	217	123	181			
VAT 1674	192	17	176	126	109			
VAT 1675	98	26	123	128	51			
VAT 1676	317	25	215	129	177			
VAT 1677	178	26	258	146	100			
VAT 1678	241	20	260	148	139			
VAT 1679	337	30	259	147	187			
VAT 1680	62	55	126	158	28			

Nr. Mus.	EA	Lignes (ou: col.)	W	WA	VS	BB	Anc. Nr.	Références bibliographiques:
VAT 1681	281	31	201	190	159			
VAT 1682	275	14	266	166	156			
VAT 1683	222	11			128			
VAT 1684	177	10	267	170	101			
VAT 1685	65	13	270	175	29			
VAT 1686	273	26	173	137	155			
VAT 1687	127	46	137	184	69			
VAT 1688	263	34	191	169	150			
VAT 1689	229	7	271	178	131			
VAT 1690	48	9	292	181	20			
VAT 1692	45	48	287	177	17			
VAT 1693	47	30	286	176	19			
VAT 1694	46	29	288	179	18			
VAT 1695	145	37	148	182	77			
VAT 1696	218	17			125			
VAT 1697	265	15	265	165	151			
VAT 1698	310	17			169			
VAT 1699	208	14			119			
VAT 1700 +	77	37			36			
VAT 1701	237	24			135			
VAT 1702	66	13			30			
VAT 1703	179	29	127	171	103			
VAT 1704	341	11			192			

Nr. Mus.	EA	Lignes (ou: col.)	W	WA	VS	BB	Anc. Nr.	Références bibliographiques:
VAT 1705	194	32			112			
VAT 1706	276	15	274	187	157			
VAT 1707	336	9			188			
VAT 1708 +	335	20	P.414		186			
VAT 1709A +	312	20			176			
VAT 1709B	360	5	360		179			AOAT 8/1970, 12
VAT 1710 +	196	43	143		111			
VAT 1711	80	34			39			
VAT 1712	72	32			34			
VAT 1713	291	25			167			
VAT 1714	56	51	136	173	24			
VAT 1715	257	22	188	168	147			
VAT 1716	58	10 + 11'	P.415 +	214	26			
VAT 1716	58	10 + 11'	118 +	214	26			
VAT 1717	13	33 + 29'		216	197			
VAT 1718	154	29	156	162	81			
VAT 1719	152	66			80			
VAT 1720	219	34			126			
VAT 1721 +	54	57	140		23			
VAT 1722	319	23	257	145	178			
VAT 1723	171	37	285	185	95			
VAT 1724	186	85	135	193	107			
VAT 1725	185	76	134	189	106			

Nr. Mus.	EA	Lignes (ou: col.)	W	WA	VS	BB	Anc. Nr.	Références bibliographiques:
VAT 1738	57	13 + 7'			25			
VAT 1867	238	38	268	219	136			
VAT 1868 +	54	57	140	232/229 +	23			
VAT 1869 +	54	57	140	233/229 +	23			
VAT 1870	223	10	272	220	129			
VAT 1871	146	38	155	231	79 +			
VAT 1872 +	155	71	152	228 +	82 +			
VAT 1873	128	31	P.415	227	71			
VAT 1874	309	28	P.415	221	174			
VAT 1875	173	16	P.415	222	97			
VAT 1876	210	6	P.415	223	120			
VAT 1877	172	5		224	96			
VAT 1878 +	11	29 + 34'	12 +	218/225 +	6			
VAT 1879 +	18	10 + 7'	P.415 +	230/226 +	8			
VAT 1880 +	18	10 + 7'		217 +	8			
VAT 1883	332	6			184			
VAT 1884	338	14			189			
VAT 1885	163	5 + 5'			87			
VAT 1886 +	312	20			176			
VAT 1887	339	7			180			
VAT 2191 +	25	4 col.			201			
VAT 2192 +	29	189			12			
VAT 2193 +	27	114 + 1			11			

Nr. Mus.	EA	Lignes (ou: col.)	W	WA	VS	BB	Anc. Nr.	Références bibliographiques:
VAT 2194 +	29	189			12			
VAT 2195 +	29	189			12			VAB 2/1, 1915, 994
VAT 2195 +	XX1							VAB 2/1, 1915, 12
VAT 2196,1 +	24	4 col.			200			MVAG 14/1909,1/2, 84-123
VAT 2196,2 +	24	4 col.			200			MVAG 14/1909,1/2, 84-123
VAT 2196,3 +	29	189			12			
VAT 2196,4 +	29	189			12			
VAT 2196,5 +	29	189			12			
VAT 2196,6 +	29	189			12			
VAT 2196,7 +	24	4 col.			200			MVAG 14/1909,1/2, 84-123
VAT 2196,8 +	24	4 col.			200			MVAG 14/1909,1/2, 84-123
VAT 2197,1 +	27	114 + 1			11			
VAT 2197,2 +	25	4 col.			201			
VAT 2197,3 +	29	189			12			
VAT 2197,4 +	29	189			12			
VAT 2197,5 +	29	189			12			
VAT 2197,6 +	XX2							VAB 2/1, 1915, 12
VAT 2198 +	240	8			138			
VAT 2706 +	2	13 + 9'		5 +	1		C 4745 +	
VAT 2707 +	240	8			138		C 4790 +	
VAT 2708 +	358	37		239BB +	196		C 4796 +	
VAT 2709 +	289	51	185 +	199 +	165		C 4770 +	
VAT 2710 +	357	88		239A,BA +	195 +		C 4795 +	

Nr. Mus.	EA	Lignes (ou: col.)	W	WA	VS	BB	Anc. Nr.	Références bibliographiques:
VAT 2711 +	14	4 col.		209 +	198 +		C 4794 +	
VAT 3780	361	6	361					OLZ 20/1917, 106
VAT 3781	381							OLZ 20/1917, 105-106
VAT 8525	382							OLZ 69/1974, 262
VAT YY1	359	35 + 29'	359		193			MDOG 55/1914, Pl. 6-7
VAT YY2	379	13	354A		190			MDOG 55/1914, 40
VAT YY3 +	29	189			12			
VAT YY4 +	7	82			4			

El Amarna (EA) tablets in the British Museum (BM) and Oxford

EA	BM	EA	BM	EA	BM	EA	BM	Oxford	EA
1	29784	213	29859	21	29784	299	29832	1	43
5	29787	215	29843	9	29785	298	29833	2	184
9	29785	224	29849	10	29786	297	29834	3	135
10	29786	227	29830	5	29787	325	29835	4	61
17	29792	228	29831	35	29788	323	29836	5	190
19	29791	230	37646	34	29789	324	29837	6	236
23	29793	235	29815	37	29790	316	29838	8	342
26	29794	245	29855	19	29791	315	29839	9	351
28	37645	248	29842	17	29792	296	29840	10	352
30	29841	251	29862	23	29793	30	29841	11	354
34	29789	252	29844	26	29794	248	29842	12	346
35	29788	256	29847	74	29795	215	29843	13	353
37	29790	261	29858	114	29796	252	29844	14	348
53	29820	264	29853	83	29797	270	29845	15	345
55	29819	269	29846	73	29798	269	29846	16	344
59	29824	270	29845	136	29799	256	29847	17	347
63	29817	272	29863	88	29800	330	29848	18	350
64	29816	277	29864	132	29801	224	29849	TEA 1921,	
69	29856	278	29852	125	29802	284	29850	1154	368
73	29798	282	29851	123	29803	282	29851	-	343
74	29795	284	29850	86	29804	278	29852	-	349
82	37648	292	37647	87	29805	264	29853	-	355
83	29797	294	29854	102	29806	294	29854		
86	29804	296	29840	131	29807	245	29855		
87	29805	297	29834	118	29808	69	29856		
88	29800	298	29833	141	29809	318	29857		
100	29825	299	29832	142	29810	261	29858		
101	29827	303	29821	149	29811	213	29859		
102	29806	304	29822	147	29812	187	29860		
114	29796	306	29823	151	29813	205	29861		
118	29808	315	29839	155	29814	251	29862		
123	29803	316	29838	233	29815	272	29863		
125	29802	318	29857	64	29816	277	29864		
131	29807	323	29836	63	29817	357	29865		
132	29801	324	29837	161	29818	28	37645		
136	29799	325	29835	55	29819	230	37646		
139	29828	330	29848	53	29820	292	37647		
141	29809	357	29865	303	29820	82	37648		
142	29810	370	134870	304	29822	378	50745		
147	29812	371	134868	306	29823	380	58364		
149	29811	372	134872	59	29824	374	134863		
151	29813	373	134864	100	29825	373	134864		
155	29814	374	134863	197	29826	376	134865		
161	29818	375	134866	101	29827	375	134866		
176	29829	376	134865	139	29828	371	134868		
187	29860	377	134871	176	29829	370	134870		
197	29826	378	50745	227	29830	377	134871		
205	29861	380	58364	228	29831	372	134872		

1. All British Museum El Amarna tablets are now in the Department of Western Asiatic Antiquities. All, except for the group 134863-72, were originally registered in the Museum's registers of Egyptian Antiquities.
2. The Oxford tablets are now all in the Department of Antiquities, Ashmolean Museum Oxford.
3. E.24631 (SR 23) : 2 casts of EA letters.

C.B.F. WALKER

CONCORDANCE DES SIGLES **EA**

Section 7: **Anciens numéros d'inventaire des Musées.**

Anc. Nr.	EA	Lignes (ou: col.)	W	WA	VS	BB	Nr. Mus.	Références bibliographiques:
C 4745 +	2	13 +'9		5 +	1		**VAT 2706 +**	
C 4749 +	40	28	33 +	14 +			**C 4749**	
C 4750 +	36	24		20 +			**C 4750**	
C 4755 +	124	67	103 +	62 +			**C 4755**	
C 4755 +	124	67	108 +	65			**C 4755**	
C 4759 +	52	46	290 +	196 +			**C 4759**	
C 4770 +	289	51	185 +	199 +	165		**VAT 2709 +**	
C 4783 +	49	29	222 +	204 +			**C 4783**	
C 4790 +	240	8			138		**VAT 2707 +**	
C 4794 +	14	4 COL.		209 +	198 +		**VAT 2711 +**	
C 4795 +	357	88		239A, BA +	195 +		**VAT 2710 +**	
C 4796 +	358	37		239BB +	196		**VAT 2708 +**	
CHASSIN.1	15	22					**MMA 24211**	BIFAO 2/1902, 114
CHASSIN.2	153	20					**MMA 24212**	BIFAO 2/1902, 116
EES 1	374	34					**BM 134863**	Or. NS 16/1947, 19-20
EES 2	373	18					**BM 134864**	Or. NS 16/1947, 18
EES 3	376	8+'2					**BM 134865**	Or. NS 16/1947, 21
EES 4	375	'2					**BM 134866**	Or. NS 16/1947, 20-21
EES 5	XX3						**BM 134867**	Pendlebury, 3/1, 120(127E)
EES 6	371	39					**BM 134868**	Or. NS 16/1947, 16-17
EES 7	XX4						**BM 134869**	Pendlebury, 3/1, 120(127D)
EES 8	370	29					**BM 134870**	Or. NS 16/1947, 15
EES 9	372	6					**BM 134872**	Or. NS 16/1947, 17

Anc. Nr.	EA	Lignes (ou: col.)	W	WA	VS	BB	Nr. Mus.	Références bibliographiques:
EES 10	377	3					BM 134871	Or. NS 16/1947, 21
Murch +	26	66+1	22				HM 118 +	AJSL 33/1916, 7-8
Rost.1900	292	52	239				BM 37647	MMAFC 6/1892, 298
Rost.1901	28	49	24				BM 37645	MMAFC 6/1892, 302
Rost.1902	82	52	59				BM 37648	MMAFC 6/1892, 306
Rost.1903	230	22	238				BM 37646	MMAFC 6/1892, 309
VAT 1596 +	52	46					C 4759	
VAT 1652 +	40	28	32+	13+			C 4749	
VAT 1653 +	36	24	31	19 +			C 4750	
VAT 1666 +	124	67	107 +	640 +			C 4755	
VAT 1691 +	49	29	289 +	180 +			C 4783	
VAT 1882 +	327	11					C 4791	

Section 8:   **Références bibliographiques**

(pour les premières mentions »hors-collections«, uniquement).

Références bibliographiques:	EA	Lignes (ou: col.)	W	WA	VS	BB	Nr. Mus.	Anc. Nr.
AJSL 33/1916, 7-8	26	66 + 1	22				HM 118 +	Murch +
AOAT 8/1970, 12	360	5	360		179		VAT 1709B	
BIFAO 2/1902, 114	15	22					MMA 24211	Chassin.1
BIFAO 2/1902, 166	153	20					MMA 24212	Chassin.2
CRAIBL 41/1888, 253	260	16					Oppert	
Goetze, VBT Nr. 1	31	38		10			C 4741	
Goetze, VBT Nr. 2	32	25		238	202		VAT 342	
JCS 31/1979, 249	380						BM 58364	
JEA 11/1925, 233	368	17 + 11'					0 1154	
MDOG 55/1914, Pl. 6-7	359	35 + 29'	359		193		VAT YY1	
MDOG 55/1914, 40	379	13	354A		190		VAT YY2	
MMAFC 6/1892, 298	292	52	239				BM 37647	Rost.1900
MMAFC 6/1892, 302	28	49	24				BM 37645	Rost.1901
MMAFC 6/1892, 306	82	52	59				BM 37648	Rost.1902
MMAFC 6/1892, 309	230	22	238				BM 37646	Rost.1903
MVAG 14/1909,1/2, 84-123	24	4 col.			200		VAT 2196,8 +	
MVAG 14/1909,1/2, 84-123	24	4 col.			200		VAT 2196,1 +	
MVAG 14/1909,1/2, 84-123	24	4 col.			200		VAT 2196,2 +	
MVAG 14/1909,1/2, 84-123	24	4 col.			200		VAT 2196,7 +	
MVAG 14/1909,1/2, 84-123	24	4 col.		210,5 +	200		VAT, 1621 +	
MVAG 14/1909,1/2, 84-123	24	4 col.		27 +	200		VAT 422 +	
OLZ 20/1917, 105-106	381						VAT 3781	
OLZ 20/1917, 106	361	6	361				VAT 3780	
OLZ 69/1974, 262	382						VAT 8525	
Or. (NS) 16/1947, 15	370	29					BM 134870	EES 8
Or. (NS) 16/1947, 16-17	371	39					BM 134868	EES 6

Références bibliographiques:	EA	Lignes (ou: col.)	W	WA	VS	BB	Nr. Mus.	Anc. Nr.
Or. (NS) 16/1947, 17	372	6					BM 134872	EES 9
Or. (NS) 16/1947, 18	373	18					BM 134864	EES 2
Or. (NS) 16/1947, 19-20	374	34					BM 134863	EES 1
Or. (NS) 16/1947, 20-21	375	2'					BM 134866	EES 4
Or. (NS) 16/1947, 21	376	8 + 2'					BM 134865	EES 3
Or. (NS) 16/1947, 21	377	3					BM 134871	EES 10
Pendlebury, 3/1, 120(127E)	XX3						BM 134867	EES 5
Pendlebury, 381, 120(127D)	XX4						BM 134869	EES 7
PEQ 100/1965, Pl. 25	378	26					B 50745	
RA 19/1922, 101	209	16	261	149A			AO 2036	
RA 19/1922, 102-103	362	69	129A				AO 7093	
RA 19/1922, 104	364	28	256A				AO 7094	
RA 19/1922, 105	367	25	222A				AO 7095	
RA 19/1922, 106	366	34	290A				AO 7096	
RA 19/1922, 107	363	23	176A				AO 7097	
RA 19/1922, 108	365	31	248A				AO 7098	
RA 31/1934, 127	369	32	31A				E 6753	
RT 15/1893, 137	333	26	219				F 11	
Sayce/Petrie Nr. 1	43	35					0 1	
Sayce/Petrie Nr. 2	135	25					0 3	
Sayce/Petrie Nr. 3	61	5 + 9'					0 4	
Sayce/Petrie Nr. 4	190	12					0 5	
Sayce/Petrie Nr. 5	351	14 + 6'					0 9	
Sayce/Petrie Nr. 6	352	8					0 10	

Références bibliographiques:	EA	Lignes (ou: col.)	W	WA	VS	BB	Nr. Mus.	Anc. Nr.
Sayce/Petrie Nr. 7	342	9					0 8	
Sayce/Petrie Nr. 8	14	4 col.					0 7 +	
Sayce/Petrie Nr. 9	355	11 + 1					0 YY3	
Sayce/Petrie Nr. 10	344	7					0 16	
Sayce/Petrie Nr. 11	354	10 + 9'					0 11	
Sayce/Petrie Nr. 12	348	7 + 12'					0 14	
Sayce/Petrie Nr. 13	346	12					0 12	
Sayce/Petrie Nr. 14	353	7					0 13	
Sayce/Petrie Nr. 15	347	4					0 17	
Sayce/Petrie Nr. 16	236	7					0 6	
Sayce/Petrie Nr. 17	345	10					0 15	
Sayce/Petrie Nr. 18	350	7 + 5'					0 18	
Sayce/Petrie Nr. 18 bis	184	8					0 2	
VAB 2/1, 1915, 12	XX1						VAT 2195	
VAB 2/1, 1915, 12	XX2						VAT 2197,6	
VAB 2/1, 1915, 994	29	189			12		VAT 2195 +